현장의 힘

현장의 힘

1판 2쇄 발행 2022년 11월 1일 | **1판 1쇄 발행** 2022년 8월 25일

글쓴이 배성민 | **펴낸이** 임중혁 | **펴낸곳** 빨간소금

등록 2016년 11월 21일(제2016-000036호) | **주소** (01021) 서울시 강북구 삼각산로 47, 나동 402호

전화 02-916-4038 | **팩스** 0505-320-4038 | **전자우편** redsaltbooks@gmail.com

ISBN 979-11-91383-21-8(03330)

• 책값은 뒤표지에 있습니다.

배성민 씀

현장의 힘

신라대 청소노동자와 함께한 114일

빨간소금

박정훈(라이더유니온 위원장)

고2 때 운명처럼 배성민을 만나 세상 바꾸는 일을 평생 함께하자고 약속했다. 하지만 여러 이유로 멀어져 각자의 길을 갔다. 다른 길을 간 줄 알았는데 신기하게도 이 책에서 그를 다시 만났다. 나는 배달노동자의 노동조합 라이더유니온에서, 그는 신라대 청소노동자의 투쟁 현장에서 각자의 삶을 살아가고 있었다.

반가운 마음으로 만난 배성민은 집회에서 발언자의 이름을 제대로 소개하지 않아 조합원에게 혼이 나고 있었다, 겨울철 농성 들어가면서는 아무런 준비를 하지 않아 덜덜 떨면서 밤을 새웠다. 사람 참 안 변한다. 이런 지독한 무심함은 내가 그와 멀어지는 작은 계기였다. 그러나 온갖 타박에도 우직하게 자기 역할을 해내는 모습 또한 변하지 않았다. 이것이 내가 그리고 신라대 청소노동자들이 그와 함께한 이유일 테다.

최근 연세대 학생 3명이 '임금 440원 인상 및 정년 퇴직자 인원 충원' 등을 요구하며 집회 중인 청소노동자들을 업무방해 혐의로 고소한 사건을 두고 논란이 일었다. 20대 남성, MZ세대의 문제라는 둥 통속적인 이야기들이 나오지만, 대학생 대부분은 청소노동자를 '사회적 약자'로 인식해 투쟁에 지지와 응원을 보내는 것으로 안다. 다만, 새파랗게 젊은 학생에게 모욕당하는 어머니가 아니라 머리에 붉은 띠를 매고 총장실을 점거하는 민주노총 조합원이라면 이야기가 달라진다. 청소노동자의 투쟁은 정당하고, 폭력적인 민주노총 조합원의 투쟁은 정당하지 않다는 어설픈 도덕론으로는 노동조합을 제대로 이해할 수 없다. 이런 시각은 청소노동자를 여전히 수동적이고 순수한 피해자로 가둔다. 노동조합은 법에 보장된 최저의 권리를 지키기 위해 사회적 약자가 만든 것이 아니라, 회사의 주인인 노동자가 법 이상의 더 많은 권리를 쟁취하기 위해 만든 조직이다.

이 책의 가치가 여기에 있다. 배성민이 만난 청소노동자들은 '불쌍한 어머니'가 아니다. 청소노동자들은 골수 학생운동권 출신의 조직부장보다 전문적인 투쟁 경험이 있다. 냉철하게 점거 계획을 짜고, 방송에 적극적으로 인터뷰하길 원하며, '일못'인 그를 다그치는 투쟁 전문가다. 20대의 배성민은 아마도 노동자를 지도하는 활동가를 꿈꿨을 테다. 그러나 30대의 그는 조직된 청소노동자들에게 노동운동에 대해 지도받고 혼나는 "초짜" 노동운동가다. 이 재미있고 통쾌한 이야기를 읽으러 가 보자.

책을 펴내며

2021년 1월 신라대학교는 학내 청소노동자 51명에게 전원 해고를 통보했다. 청소노동자 대신 교직원이 자발적으로 청소함으로써 학교 예산을 절감하겠다고 발표한 것이다. 이러한 결정의 배경에는 학령 인구 감소로 인한 지방대 재정 위기가 있었다. 2월 23일 청소노동자는 해고에 맞서 대학 본부를 점거하고 파업 농성을 시작했다. 2012년(9일)과 2014년(79일)에 이은 세 번째 농성 투쟁이었다. 두꺼운 패딩을 입고 시작한 농성이 반소매 티셔츠를 입을 때까지 이어졌고, 114일간 농성 끝에 6월 16일 해고 철회와 직접고용을 쟁취했다. 신라대 청소노동자는 간접고용 비정규직 노동자의 진짜 사용자는 용역 업체가 아니라 원청(학교)이라는 사실을 투쟁으로 증명했다. 나는 부산지역일반노동조합 조직부장으로 농성에 참여했다.

'농성 투쟁' 하면 흔히 분노와 슬픔을 떠올린다. 하지만 인생에 희노애락(喜怒哀樂)이 있듯이 농성에도 기쁨과 즐거움이 있다. 우리는 직접고용이라는 결과만 목 빠지게 기다리지 않았다. 하루하루를 의미 있게 보내기 위해 애썼다. 함께 자고, 밥해 먹고, 산책하고, 토론하고, 연대 투쟁에 나서고, 콧바람 쐬러 수련회를 다녔다. 복직한 지금, 조합원들은 농성할 때가 즐거웠다는 말을 많이 한다. 나는 이것이 바로 대학 본부 로비에서 114일을 버티게 한 '현장의 힘'이었다고 생각한다.

글을 쓰기 시작했을 때는 신라대 청소노동자들의 투쟁을 있는 그대로 전하려 했다. 그런데 쓰면 쓸수록 농성 현장에서 내가 배운 것이 과분할 정도로 많다는 사실을 깨달았다. 투쟁 현장을 생생하게 전달하기 위해서는 내 이야기를 솔직하게 하는 편이 낫겠다고 생각했다. 이 책은 신라대 청소노동자의 114일간 농성 투쟁 기록이면서, '초짜' 노조 활동가의 현장 일기 같은 것이다.

고2 때, 내 인생 첫 집회였던 2002년 6월 미군 장갑차 중학생 압사사고 촛불집회 이후 사회에 대한 불만이 극에 달했다. 하지만 구체적인 저항 방법을 몰라 생각한 것이 정규 수업 거부였다. 수업 시간에 선생님 말씀 안 듣고 사회비판서를 읽는 정도의 반항이었다. 담임선생님은 반항기 충만한 나를 혼내는 대신 부산민주공원에서 개최하는 '전국청소년논술토론한마당'에 지원해 보라고 했다. 그렇게 대회에서 청소년운동하는 친구들과 만나게 되었고, 그 후로 오랜 시절을 그들과 밤새 시간 가는 줄 모르고 이야기 나누었다. 내게 담임선생님은 사회운동가의 길을 처음 안내한 스승이었다.

대학에 입학하고는 내로라하는 역사 속 학생운동가를 현실에서 만날 수 있을 것으로 기대했다. 하지만 2000년대는 학생운동의 쇠락기였다. 과거의 영광은 온데간데없고 운동하는 사람을 만나기조차 어려웠다. 어떻게 해야 할지 고민일 때 또 한 명의 스승을 만났다. 새로운 학생운동을 만든다며 부산을 뛰어다니던 L 선배였다. 선배는 내게 거창한 이론을 말하는 대신 활동가의 태도에 관해 자주 이야기했다. 그를 통해 나는 본격적으로 학생운동가의 길로 접어들었다.

대학을 졸업하고 운동을 계속하면서도 어디서든 주도하고 싶어 하는 골목대장 기질은 사라지지 않았다. 정치인이 되겠다고 애쓰던 2018년에는 집회에서 묵묵히 자리를 지키는 일을 하찮게 여기고 대표자로 나서는 일을 선호할 정도였다. 그때 신라대 청소노동자들을 만났다. 자신을 빛내는 일에 익숙한 내게 그들은 큰 충격이었다. 그들은 자신과 동료, 조직을 조화롭게 돌보는 데 매우 익숙했다. 농성이 끝나고 나는 조합원들을 '스승'이라고 불렀다. 그들을 만나지 않았다면 나는 성공에 미친, 흔해 빠진 정치 괴물이 되어 있었을지도 모른다.

살면서 변화가 필요하다고 느낄 때마다 운 좋게 이 스승들을 만났다. 그들 덕분에 이만큼 왔다.

뉴스에 대규모 집회가 나올 때면 마음 졸이며 걱정하는 동생과 부모님, 늘 옆에서 응원하는 신부와 무뚝뚝한 나를 따뜻하게 맞이해 주는 장모님, 처남에게 죄송함과 고마움을 전하고 싶다. 그리고 노동운동가로 성장할 수 있게 조언을 아끼지 않은 박문석 위원장, 천연옥 교육위원장, 정영주 총무부장, 고 전규홍 전 사무국장과 표지 그림의 바탕이 되는 사진을 제공해 준 비주류사진관 정남준 님께 감사한다. 끝으로 농성장에 찾아와 묵묵히 노력한 부산지역일반노동조합 조합원들, 투쟁에 아낌없는 연대와 응원을 보낸 분들에게 감사 인사를 드린다.

2022년 8월

배성민

차례

3 직접고용

1

해고예고

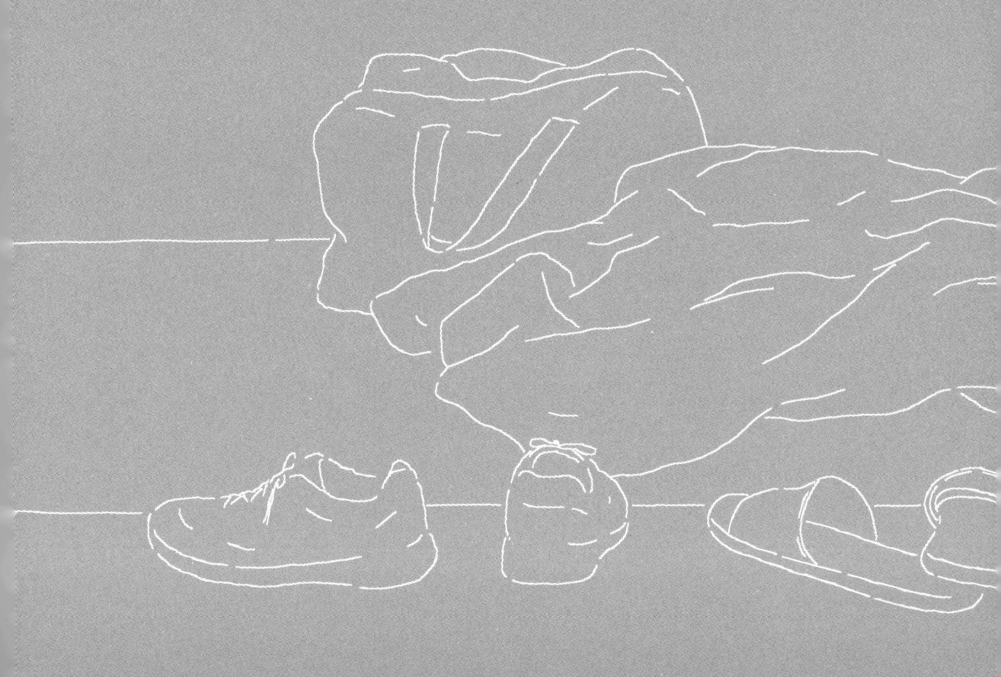

첫 만남

2018년 나는 부산 사하구의회 구의원 선거에 한 정당의 후보로 출마했다. 당의 지침에 따르는 등 떠밀려 출마한 것이 아니었다. 오래전부터 꿈꾸었던 풀뿌리 진보 정치인의 길을 실현하기 위해서였다. 주변에서 많이 만류했다. 보수 양당 중심의 한국 정치에서 소수 진보정당 후보로 출마하는 것은 바위에 달걀 치기밖에 안 된다며 말렸다. 하지만 나는 출사표를 던졌다. 후보 7명 중 뒤에서 3등, 2,278표를 받았다.

선거 결과를 보고 낙담했다. 당선은 어렵더라도 10퍼센트 이상 득표를 기대했는데 6.1퍼센트에 그쳤다. 기대한 당원들에게 어떻게 설명해야 할지 몰랐고, 돌려받지 못하는 기탁금과 선거자금을 어떻게 처리해야 할지 고민이었다. 하지만 주위 반응은 달랐다. 당원들은 진보정당 후보로 5퍼센트 넘게 득표하고 거대정당 후보를 2명이나 꺾은 것은 선방이라며 격려했다. 선거 뒤 지역 곳곳을 다니며 주민들에게 낙선 인사를 했다. 주민들은 내 손을 꽉 잡고 이렇게 열심히 하는 후보는 없었다며 다음에 꼭 나오라고 당부했다. 주민들에게 받은 음료수를 두 손 가득 움켜쥐고 집으로 돌아오던 기억이 지금도 생생하다.

실낱같은 희망을 발견하고 선거가 끝나자마자 지역 곳곳을 다니며 진보정당을 동네에 뿌리내리기 위해 발로 뛰었다. 지역 청년회 모임에 나가 주민과 일상적인 관계를 맺었고, 동네 작은도서관 운영위원으로 일하며 독서 문화 활동을 펼쳤다. 그리고 정치인으로서 지역사회 문제를 해결하기 위해서 노력했다. 구민안전보험[1] 조례 제정, 서부산장애인스포츠센터 비상 통로 문제, 아파트 주민 민원 등 지역 문제를 해결하기 위해 구청과 지역구 의원을 수시로 찾아다녔다. 진보정치는 늦더라도 뚜벅뚜벅 걸어가면 뿌리내릴 수 있겠다는 희망을 품었다.

하지만 정치 활동을 하면 할수록 풀기 어려운 문제가 머릿속을 떠나지 않았다. 지역주민은 '배성민'을 지지한다고 말했지만, 내가 속한 정당을 지지하지는 않았다. 큰 정당에 들어가면 잘될 것 같은데 왜 국회의원 한 명 없는 당에서 혼자 삽질하냐며 안타까워했다. 심지어 가능성 없는 소수 정당이 어떻게 세상을 바꿀 수 있겠냐며 조롱하는 사람도 있었다. 세상을 움직이는 힘 있는 정당에 들어가서 희망을 만드는 것만이 정치라고 말했다. 분한 마음이 들었지만 개의치 않고, 비판하는 주민에게 미소를 지으며 묵묵히 해나가겠다고 말했다.

지역주민들 앞에서는 큰소리쳤지만, 스스로 한계를 발견하기도 했다. 내가 노동자로 직접 현장에서 일한 경험은 알바를 제외하고 없었다. 패스트푸드점, 건설 현장 등 생계를 위해 일용직 알바 노동자로 잠시 살았다. 그러다 보니 현장 노동자의 삶을 수박 겉핥기식으로만 알고 있을 뿐이었다.

2018년 선거가 끝나고 버스 노동자 한 명이 찾아왔다. 지방선거 때 눈여겨봤다며 어려움을 털어놓았다. 버스 노동자는 부당 징계로 해고될 상황에 놓여 있었다. 향후 활동에 관해서 이런저런 조언을 했다. 그와 함께 부당 징계에 반대하는 손 팻말을 들고 회사 앞에서 시위하기도 했다. 하지만 버스 노동자는 투쟁을 접고 징계를 받아들였다. 당시 나는 진보정당 정치인임에도 불구하고 노동문제를 깊게 알지 못했다. 그래서 부당 징계에 대응하는 법적인 검토와 다양한 활동 방법을 제시하지 못했다. 손 팻말을 들고 시위 몇 번 하면 회사가 징계를 철회할 줄 알았다. 결국 버스 노동자는 내가 제안한 방식에 한계를 느끼고 투쟁을 포기했다.

이 일을 겪고 나서 문득 세상을 바꾸자는 내 말이 사람들에게 제대로 먹히지 않겠다는 생각이 들었다. 지금까지 진보 정치인으로 성장하지 못하는 원인을 국회의원 한 명 없는 당의 문제로 생각했는데 나

자신에게 있음을 발견했다.

1종 보통 수동 운전면허가 필요해

2020년 10월 부산시당위원장 임기를 마무리하고 정치 활동을 정리했다. 이대로 계속 정치인으로 살아 봤자 사람들에게 울림을 줄 수 없다는 마음이 컸다. 노동자와 민중을 위해 정치한다고 하지만 세세한 부분은 잘 알지 못했다. 더 이상 나를 빛내는 정치 활동을 계속 이어가는 것은 무의미했다. 제대로 된 정치인이 되기 위해서는 평범한 사람들의 삶 속으로 뛰어들어야 했다.

다짜고짜 현장에 이력서를 내 볼까 생각했다. 현장 노동자로 살아야지만 한계를 극복할 수 있을 것 같았다. 물론 30대 중반에 스펙 하나 없이 사회운동만 한 처지라 현장에 취업할 수 있을까 두려웠다. 주위 선배들이 전망 없이 무턱대고 현장에 갔다가 운동은 뒷전이고 회사에 주저앉을 수 있다며 말리기도 했다. 결국 현장 노동자가 되는 것은 과제로 남기고, 우선 노동조합 상근 활동가가 되어 현장 조합원과 어울리며 살아 보자고 결심했다.

노동조합 활동하는 선배에게 사람 구하는 곳이 있는지 수소문했다. 여러 곳에서 사람을 모집하고 있었다. 나는 부산노동권익센터와 부산지역일반노동조합(이하 부산일반노조)에 이력서를 넣고 면접을 보았다.

당시 부산일반노조 면접에서 기억에 남는 장면이 있다. 보통 면접에서는 해당 업무에 관한 적합도를 따진다. 노동조합 면접인 만큼 노동문제 해결 방법에 관한 기초 지식을 준비했다. 하지만 부산일반노조에서 가장 필요한 능력은 1종 보통 수동 운전면허였다. 면접관인 노조위원장이 말했다.

"부산지역일반노동조합에서 일하려면 수동 자동차를 몰 수 있어야 해요. 우리는 곳곳에 투쟁 현장이 많다 보니 방송차를 이용해서 집회를 많이 열어요. 근데 저희가 현재 운영하는 방송차가 하필 수동 차예요. 그걸 몰고 다니며 현장 곳곳에 투쟁 판을 벌일 수 있는 사람이 우리에게 가장 필요해요."

당시 나는 1종 보통 자동차 면허가 있었지만, 수동 차 운전은 익숙하지 않았다. 그러나 부산일반노조에서 일할 수 있는 기회를 놓치고 싶지 않았다.

"1종 보통 운전면허 따고 나서 수동 차를 한 번도 몰아 본 적은 없습니다. 하지만 맡겨만 주시면 지금부터 배워서 출근하는 날과 동시에 운전할 수 있게 하겠습니다. 그리고 요즘 유튜브 보면 자동차 운전하는 법이 상세하게 나와 있어서 혼자서도 배울 수 있습니다. 한번 해보겠습니다."

마침내 채용되었고 2020년 12월부터 부산일반노조 조직부장으로 일하기 시작했다. 일을 시작하니 수동 방송용 차를 몰 수 있는 능력이 매우 중요하다는 사실을 깨달았다. 부산일반노조에서 관리하는 현장이 약 40여 곳이었다. 그 현장들을 돌아다니며 교육, 선전, 투쟁, 교섭을 상근자 3명이 해야 했다. 특히 현장에 문제가 생기면 방송차를 몰고 가서 집회를 여는 게 조직부장의 가장 중요한 역할이었다.

내 스타일 아닌데?

1997년 IMF 외환위기로 김대중 정권은 1998년 정리해고법(근로기준법 제24조)과 함께 파견법(파견근로자보호등에관한법률)을 제정한다. 정부의 노동유연화 정책으로 비정규직과 실업자가 사회 문제로 떠올랐다. 특히 노조가 없는 중소·영세 사업장과 비정규직 노동자는 해고를 통보받거나 근로조건이 저하되는 등 일방적인 불이익을 당했다.

1995년 민주노총 창립 당시 제조업 정규직 중심으로 기업과 업종에 따라 노동조합이 조직되어 있었다. 하지만 IMF 외환위기 이후 비정규직이 급격하게 증가하면서 기업별 노조로 해결할 수 없는 문제들이 생겼다. 그 대안으로 2000년 4월 1일 중소·영세 사업장 노동자, 비정규 노동자와 함께하는 부산일반노조가 '노동자는 하나다'라는 정신으로 창립되었다. 일반노조는 기업과 업종을 넘어 지역을 근거지로 초기업 단위로 조직된 노조이다. 생활폐기물수거, 분뇨수거, 대학청소, 부산관광안내, 사회복지 등 부산시 민간 위탁 업체, 민간 중소·영세 사업장 노동자가 가입되어 있다.

과거 기업별 노조 중심이던 시절에는 노조 활동의 대부분이 사업장 내 문제해결이었다. 다른 사업장과 연대나 사회투쟁을 하기 쉽지 않았다. 반면 일반노조는 다른 사업장 문제를 내 문제처럼 해결하기 위해 노력한다. 가령 K대 청소노동자가 부당해고로 농성 투쟁하고 있다고 하면, 부산일반노조 소속 현장들은 내 사업장이 아니지만 투쟁 승리를 위해 노력한다. 근무시간 중에도 근로시간면제제도[2]를 활용해 K대 농성 투쟁에 함께한다. 현재 민간 위탁 업체 소속 생활폐기물수거 노동자들은 사업장을 넘어 공동으로 부산시에 직접고용과 안전한 노동 환경을 요구하는 투쟁을 하고 있다.

부산일반노조는 대학지부, 사회복지지부, 환경지부, 연합지부, 공무직지부 등 5개 지부로 구성되어 있으며, 지부 안에 약 40여 개의 현장 지회가 있다. 노조 상근자의 주요 업무는 사용자를 대상으로 임금인상, 단체협약 체결을 위한 교섭과 투쟁을 진행하는 것이다. 그렇다 보니 현장 방문 상담, 교섭, 집회 등의 일정으로 하루가 꽉 차 있다. 상근자 채용에 운전 능력을 중시했던 것도 많은 현장을 수시로 방문할 수 있는 기동성이 무엇보다 중요했기 때문이다.

부산일반노조에 가입된 현장의 업종이 다양해서 조직 수가 늘어날수록 실무와 교섭 투쟁이 많아진다. 비슷한 업종끼리 묶어 집단교섭[3]을 시도하지만, 사용자가 번번이 거절해서 1년 내내 교섭 투쟁이 벌어지는 일이 많기로 유명하다.

처음에는 노조위원장을 쫓아다니며 일을 익혔다. 2021년 1월에 노조위원장이 바뀌면서 현장을 돌아다니며 순회 간담회를 열었다. 1월 19일은 신라대지회 차례였다.

대학지부 신라대지회는 청소노동자 현장이다. 지회장, 총무, 조직부장, 교육부장 등 지회를 운영하는 간부를 포함해 32명의 조합원으로 구성되어 있다. 청소노동자가 주로 하는 일은 강의실, 화장실, 복도 등 학내 구석구석을 청소하는 것이다. 청소노동자들은 2012년 부당한 업무지시와 저임금에서 벗어나고자 노조에 가입했다. 조합 가입부터 지금까지 바람 잘 날 없는 현장으로 부산지역에서 유명하다. 비정규직 문제를 해결하기 위해 3번이나 전면파업할 정도였다.

부산일반노조위원장은 노조의 현재 상황과 한국 사회 및 전 세계 정치경제 상황을 장황하게 설명했다. 교육을 마치고 조합원 질문이 없어 노조로 복귀하려는데 정현실 신라대지회 지회장이 노조위원장을 붙잡았다.

"위원장님, 지금 우리 다 잘리게 생겼는데 사상교육만 하고 가시면 어떻게 합니까? 우리 이야기 듣고 가세요."

정현실 지회장과 그날 처음 만났다. 위원장에게 단호하게 말하는 모습을 보고 저 사람이 지회장인가 싶었다. 50대 중반 정도로 조합원들 사이에서 젊은 축에 속해 보였다. 숏컷에 펌을 넣은 머리 모양에 1월 한겨울 날씨에도 얇은 플리스 재킷을 걸치고 있었다. 움직임이 많은 청소 일 하느라 옷을 얇게 입었나 싶었다. 하지만 지회장 옷차림이 다른 조합원들보다 얇은 이유는 따로 있었다.

지회장은 교육 시간 내내 한시도 가만히 앉아 있지 않았다. 강의실 입구에 서서 조합원 한 명 한 명에게 따뜻한 커피를 주며 환대했다. 그리고 강의실 온도, 마이크 상태를 수시로 점검하는 등 바쁘게 움직였다. 두꺼운 패딩을 입었더라면 땀을 뻘뻘 흘릴 정도로 강의실 이곳저곳 돌아다니며 교육을 준비했다. 모든 것을 직접 관장하는 리더 스타일이었다. 나중에 농성할 때도 모든 일을 열심히 한다고 해서 별명이 '하고잡이'였다.

첫 만남에 지회장은 "커피 한 잔 드릴게요"라며 커피를 내오려 했다. 나는 역류성식도염이 있어서 커피를 자제하는 중이라 녹차를 부탁했다.

"조직부장님, 커피 안 마셔요? 내 스타일 아닌데?"

지회장은 실망한 눈치였다. 아차, 했다. 첫 만남에 커피 때문에 찍혔구나 싶었다. 그날 지회장은 나에게 눈길 한 번 안 주며 군기 반장 노릇을 했다. 대신 총무가 녹차를 챙겨주면서 "앞으로 잘 부탁한다"고 말했다.

지회장은 학교에서 재정이 어려워 3월 1일부로 청소노동자를 전원 해고하려 한다고 말했다. 대신 교직원이 자체적으로 청소한다는 방침이란다. 현장 노동자들은 불안해했다. 왜냐하면 신라대는 2014년도에 부당해고로 79일 동안 고공 농성한 적이 있었기 때문이다. 현장 간부들은 2014년처럼 또 장기 투쟁해야 하는 거 아니냐며 걱정했다.

사태의 심각성을 깨닫고 노조위원장은 일단 신라대 총장을 만나 집단해고의 의도가 무엇인지 알아보자고 했다. 현장 조합원과 간담회 직후 노조 사무실로 돌아와 총장 면담 요청 공문을 신라대에 보냈다.

총장과 첫 만남

1월 20일 신라대 총장실에 면담 요청 공문을 보내고 팩스가 잘 도착했는지 확인 전화까지 했다. 1월 25일 예정대로 신라대지회 간부들과 함께 총장실을 찾았다. 하지만 비서는 면담 일정을 모르는 눈치였다. 그는 면담 요청 공문은 받았지만, 그 일정을 확정하기 위한 연락은 없었다며 면담이 진행될 수 있을지 모르겠다고 말했다. 퇴로가 없었던 신라대지회 간부들은 총장실 앞 의자에 앉아 "총장님 만날 때까지 기다리겠다"고 말했다. 어떻게든 총장을 만나서 전원 해고가 맞는지, 아니면 다른 대안이 있는지 꼭 듣고 싶었다. 당황한 비서는 학교 간부와 상의해 부랴부랴 총장과 조합 간부들의 면담 자리를 마련했다.

나는 청소노동자 집단해고를 결정한 총장의 모습으로 만화에 나오는 악당을 상상했다. 우락부락하게 생기고 무시무시한 사람일 거로 생각했다. 하지만 신라대 총장은 옆집 점잖은 할아버지 같았다. 백발에 무슨 말을 해도 화 내지 않을 것 같은 조용한 어르신 느낌이었다. 면담으로 문제를 해결할 수 있겠다는 생각이 들었다. 그러나 학교의 태도는 완강했다. 역시 겉모습만 보고 사람을 판단해서는 안 된다. 총장은 최신 아이폰을 발표하는 스티브 잡스처럼 데이터를 보여 주며 현재 상황을 설명했다.

총장은 교육부가 발표한 2019년 '학령인구 및 입학 가능 학생 수 감소 추이' 그래프를 보여줬다. 2000년도부터 출생아 수가 급격하게 줄고 있으며 그에 따라 학령인구도 지속해서 감소하고 있다는 자료였다. 2024년에는 입학 정원이 12만 4,000명, 2030년에는 9만 7,000

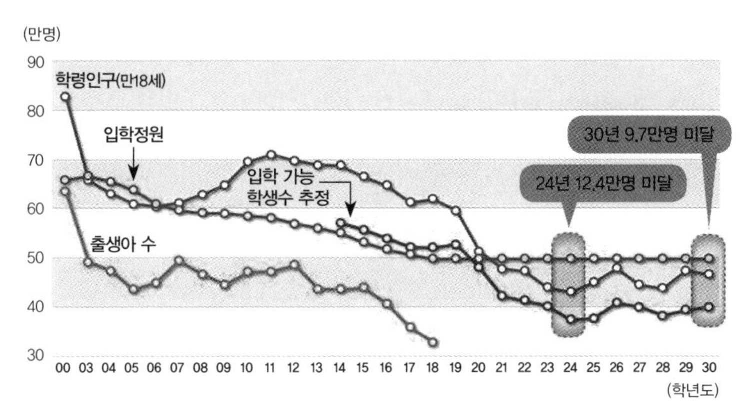

2019년 학령 인구 및 입학 가능 학생 수 감소 추이(교육부).

명이 미달해 심각한 상황에 이른다고 진단했다. 신라대 또한 2020년 신입생 미충원 인원이 250명 발생했는데 2021년은 더 많을 것으로 예상했다. 최종 등록을 마감하는 2월이 지나면 구체적인 인원수를 알 수 있다고 했다. 총장은 대략 500여 명의 학생이 최종 등록하지 않으리라 예상돼 특별한 조치가 필요했다고 역설했다.

"여러분에게 대단히 죄송합니다. 현재 학교가 매우 어렵습니다. 작년 우리 학교 신입생 250여 명이 최종 등록하지 않았고 올해는 더 많은 인원이 충원되지 않을 것 같습니다. 부산에서 신입생 입학률이 가장 낮았습니다. 코로나 탓도 있지만 오래전부터 저출산으로 인해 학령인구가 감소해서 코로나 이전에도 계속 진행되는 일이었습니다. 저희가 학교 통학버스와 기사님도 줄여 보고 재정 적자를 면할 수 있는 여러 가지 방법을 썼지만, 현재 상황을 타개할 수 없었습니다. 그래서 부득이하게 청소하시는 분들을 더 이상 쓰지 않고 학교에서 자체적으로 해결하자고 결정했습니다. 여러분에게 송구스럽지만, 학교의 사정을 알아 주셨으면 합니다."

신라대지회 간부들은 확인 사살당하는 기분이었다고 당시를 회고했다.

"총장님, 이렇게 우리를 내쫓으려고 말씀하시니 정말 섭섭합니다. 저희가 여기 1~2년 다닌 것도 아니고 길게는 10년 이상 근무하며 총장님과도 교수 시절부터 쭉 봐 왔습니다. 근데 학교가 어렵다는 이유로 청소노동자를 제일 먼저 자르는 게 맞습니까? 학교 경영은 우리가 안 했고 저출산으로 인한 학령인구 감소도 우리 탓이 아니지 않습니까? 근데 우리를 제일 먼저 내쫓으려고 하시는 것을 우리가 어떻게 받아들입니까?"

지회 총무의 항의에도 총장은 꿈쩍하지 않았다. 해고 철회를 막기 위해 여러 가지를 이야기했지만 먹히지 않았다. 더 이상 이야기해 봤자 상황을 개선할 수 없어 서로의 입장만 재차 확인하고 총장실을 나왔다.

면담 이후 걱정이 커졌다. 학교 경영이 어렵다고 청소노동자를 가장 먼저 해고한다는 말을 조합원들이 직접 들었으니 말이다. 그러나 지회장은 지회 간부들을 달래며 이렇게 말했다.

"동지들, 이제 명확해졌습니다. 학교는 우리를 전원 해고하고 청소를 자체적으로 해결하겠다고 합니다. 청소노동자 없이 청소가 얼마나 잘되는지 봅시다. 우리는 이제 우리 일을 합시다. 2014년도에도 우리에게는 똑같은 일이 있었고 79일간 농성과 고공 농성 끝에 승리한 경험이 있습니다. 우선 내일 당장 기자회견을 열고 지역사회의 많은 동지에게 알립시다. 3월 1일 전까지는 학교에 압박을 넣고 투쟁합시다. 그래도 안 되면 7년 전처럼 대학 본부 점거하면 됩니다. 너무 걱정하지 마시고 침착하게 대응합시다."

정현실 지회장의 말에 지회 간부들도 굳게 마음을 먹은 듯했다. 학교가 나가라서 해서 나가는 건 신라대 청소노동자답지 않다며 투쟁을 결심했다.

“우리가 지금까지 나가라고 해서 나간 적 있습니까? 이번에도 끝까지 싸웁시다.”

2012, 2014

내가 대학에 입학한 2006년 당시 학생운동은 총학생회와 같은 학내 정치를 할 수 있는 공간을 많이 잃었다. 운동권 학생회를 비판하는 비운동권 학생회가 그 공간을 차지했다. 학생운동은 주로 동아리나 과 학생회 소속 학회로 활동 공간을 연명하고 있었다.

1987년 6월 항쟁을 다룬 영화 〈1987〉에 연세대 이한열 열사 역을 맡은 강동원은 신입생에게 만화사랑동아리를 홍보한다. 만화를 그리고 모꼬지 등을 하는 곳이라며 흥미로운 소재로 신입생을 꼬드긴다. 하지만 단순히 흥미 위주의 동아리가 아니라는 사실이 첫 모임에서 드러난다. 모임에서 강동원은 군인들에게 학살당하는 5.18 광주항쟁 영상을 보여준다. 만화 동아리로 생각하고 온 신입생은 당황하면서도 광주의 참혹한 학살 장면에 눈을 떼지 못한다. 분노에 찬 신입생은 전두환 정권에 맞서 거리로 뛰쳐나간다.

나는 대학에서 인문학을 공부하는 학회를 만들었다. 당시만 해도 인문학이 유행하던 시절이었다. 인문학은 삶과 세계에 근본적인 질문을 던지는 학문으로서 모든 분야의 뿌리로 여겨졌다. 대학뿐만 아니라 기업과 정부 등에서 인문학이라는 용어를 쓸 정도였다. 인문학회를 만들면 많은 학생이 관심을 가질 것 같았다. 그래서 대학에 입학하자마자 동기들과 인문학회 '카르마'를 만들었다. 학회에서 만나는 사람들의 인연을 중시하자는 뜻으로 불교 용어인 '카르마'를 학회명으로 지었다.

영화 〈1987〉의 만화사랑동아리처럼 책과 영화를 보며 토론하는 모임으로 홍보했다. 사회참여 활동한다는 내용은 숨겼다. 생각만큼 학회원이 잘 모이지 않았고, 가입한 후배를 시위 현장으로 데려가는 것은 더더욱 어려웠다. 만화사랑동아리처럼 신입생들과 함께 광주항쟁 관련 영화를 보고, 비정규직·용산참사 관련 다큐멘터리도 봤다. 하지만 21세기 신입생들은 〈1987〉에서처럼 각성해 거리로 뛰쳐나가지 않았다. 〈1987〉 이후로 20여 년이 흘렀고, 선배들이 전수한 오래된 수법은 먹히지 않았다.

강의실 방문

학회원과 시위 현장에 가는 것은 어려웠지만 학내 문제는 달랐다. 등록금, 청소노동자, 비정규 강사 등 학내 문제에 관한 집회 참가는 거부감이 없었다. 당시 민주노총에서 학내 청소노동자 조직화 사업을 하고 있었다. 민주노총 활동가와 함께 청소노동자 휴게실을 돌아다니며 노동자의 어려움을 듣고 노조 가입을 권유하는 활동이었다. 학내 문제와 사회문제를 엮을 수 있는 사업 아이템으로 적절하다고 생각해 학회원들에게 제안했고, 별다른 거부감 없이 민주노총과 함께하기로 했다.

학교를 생각 없이 다닐 때는 몰랐는데 청소노동자 휴게실 곳곳을 돌아다녀 보니 생각보다 참혹했다. 2012년 부산 D대 청소노동자 휴게실에는 에어컨이 없었다(2018년이 되어서야 설치된다). 불볕더위에 노동자들은 더위를 피하려고 휴게실을 나가야 했다. 찜통 휴게실을 벗어나 그늘을 찾아다니기 바빴다. 또한 휴게실이 주차장 한쪽이나 지하에 있는 경우가 많아 공기가 탁하고 습했다. 학교 필수노동자인 청소노동자에 대한 처우가 이렇게 열악한지 직접 돌아다니면서 알게 되었다.

2012년 9월 신라대학교에서 청소노동자들이 처우 개선을 요구하며 농성 투쟁한다는 소식을 들었다. 학내 청소노동자 조직화 사업을 민주노총과 함께하고 있었던 때라 학회원들은 신라대로 연대 활동을 갔다.

첫 만남부터 인상 깊었다. 농성장에 도착하자마자 기다렸다는 듯이 청소노동자들이 우레와 같은 박수로 우리를 환영했다. 당시 현장 대표를 맡았던 조합원이 우리에게 신라대 학생들을 설득하는 선전 활동을 부탁했다. 학생들이 청소노동자가 왜 투쟁하는지 자세히 알지 못해 투쟁을 안 좋게 본다는 이유에서였다. 나는 농성 투쟁을 해 보지 않아 뾰족한 수가 떠오르지 않았다.

"제가 대학에서 활동을 5년째 하고 있는데요. 학생들이 단순히 유인물이나 대자보 붙인다고 잘 안 보더라고요. 강의실에 직접 찾아가서 청소노동자 문제를 알리고 유인물을 나눠 주면 어떨까요? 여기 배성민 선배가 연설을 잘해서 시키면 같은 학생의 입장으로 청소노동자 문제를 잘 이야기할 겁니다. 동지들만 허락하신다면 오늘부터 강의실을 뛰어다니겠습니다."

학회원 K는 '강의실 방문'(이하 강방)이라는 홍보 방식을 신라대 현장 조합원들에게 제안했다. 강방은 강의실에 수업 시작 전에 들어가 연설하고 준비한 선전물을 배포하는 홍보 방법이다. K는 자신이 아니라 선배인 내가 하는 것으로 제안했다. 나는 당황했지만 현장 조합원이 기가 막힌 아이디어라고 치켜세우는 바람에 거절할 수 없었다. 신라대 학생이 아니었지만, 강의실에 들어가 청소노동자가 농성하는 이유를 열띠게 설명했다. 의외로 반응이 괜찮았다.

"청소 이모들이 갑자기 일 안 하시고 빨간색 조끼 입고 대학 본부를 온종일 점거하시는지 이유를 몰랐어요. 근데 저 학생 연설을 들으니깐 투쟁할 만하다는 생각이 들어요. 이런 내용을 널리 학생들에게 알려서 이모들에게 도움 되는 뭔가를 해야겠어요."

강방 이후 신라대 학생들이 농성 투쟁에 찾아오는 일이 잦아졌다. 학생들은 투쟁에 필요한 대자보와 손 팻말 등 선전물 만들기를 함께 했다. 매일 열리는 집회에서 함께 소리치고 청소노동자 투쟁이 승리할 수 있도록 끝까지 곁을 지켰다.

신라대지회는 당시 노동조합에 가입한 지 얼마 되지 않은 조직이었다. 부산일반노조에 2012년 6월에 가입하고 처우 개선을 위해 학교에 면담을 요구했다. 하지만 학교는 청소노동자는 용역 업체 소속이라며 요청을 거부했다. 어쩔 수 없이 용역 업체와 노조가 만났지만, 용역 업체는 처우 개선 내용을 받아들이지 않았다. 결국 청소노동자들은 9월 3일 대학 본부 농성 투쟁에 돌입한다. 정현실 지회장은 2012년 처음 농성을 시작할 때는 2014년, 2021년까지 총 3번의 농성 투쟁을 할 줄 꿈에도 몰랐다고 말했다.

"2012년 짧은 농성 투쟁하고 다시는 농성은 없겠다고 생각했어요. 하지만 그 투쟁을 시작으로 2021년까지 총 3번의 농성 투쟁할지 누가 알았겠어요. 그만큼 간접고용되어 있는 비정규직 청소노동자의 고용은 늘 불안했던 거죠. 그걸 학교는 책임지지 않고 방관하고 있었고요.”

당시 노조의 요구는 청소노동자가 인간답게 일하기 위한 단체협약 체결이었다. 학교와 용역 업체는 서로 책임을 미루다 노조의 물러서지 않는 농성 투쟁으로 백기를 들었다. 9일간의 농성 투쟁 끝에 9월 11일 용역 업체와 단체협약을 체결했다. 상여금, 교통비, 식대 등을 받고, 학교 청소 이외의 잡무는 일체 하지 않기로 합의했다. 현장 조합원들은 노조에 가입하고 단체협약을 체결한 뒤 노예에서 사람이 되었다고 말했다.

“만약 노동조합이 없었다면 우리는 아직도 최저임금이 얼마나 올랐는지 몰랐을 것이고 학교에서 임금 주면 주는 대로 시키면 시키는 대로 일했을 겁니다. 우리는 사람이 아니고 학교의 종이었답니다. 노동조합으로 우리는 노예 생활을 벗어났습니다.”

2014년 농성 투쟁

2014년 학교는 청소 용역 입찰 공고를 하지 않고 청소노동자 전원 직접고용을 논의했다. 하지만 직접고용은 논의에만 그치고 용역 업체와 사업 계약을 체결한다. 용역 업체는 2013년 10월 이미 기숙사 청소노동자에 한해 학교와 사업 계약을 맺은 상태였다. 용역 업체는 악명 높았다. 기숙사 청소노동자의 방학 중 단축 근무에 대해 임금 삭감, 설 상여금 미지급 등 근로조건 저하를 강요했다. 노조는 매일 집회를 열며 항의했다. 그런데도 2월 학교는 사태 해결에 나서지 않고 불난 집에 부채질하듯 전체 청소노동자 사업 계약을 용역 업체와 체결했다. 심지어 용역 업체는 고용과 임단협 승계를 거부하고 개별 채용을 통보하며 조합원에게 입사 서류와 면접을 요구했다. 노동조합을 인정하지 않겠다는 태도와 다름없었다.

2월 24일 청소노동자는 용역 업체의 부당한 결정에 맞서 이사장실 앞을 점거하고 무기한 농성에 들어갔다. 용역 업체는 근로조건 변경을 노조에 협상 조건으로 제안했다. 상여금 반납, 연차휴가 및 하계휴가 반납, 업무 범위 확대였다. 2012년 청소노동자들은 농성 투쟁으로 어렵게 인간답게 살기 위한 권리를 쟁취했다. 역사의 수레바퀴를 거꾸로 돌리는 용역 업체의 이 제안을 도저히 받을 수 없었다.

2월 27일 노조가 제안을 거부하자, 용역 업체는 조합원 40명에게 '계약 만료'를 문자메시지로 통보했다. 용역 업체가 바뀔 때마다 반복되는 고용 불안과 근로조건 후퇴를 청소노동자들은 더 이상 참을 수 없었다. 2월 28일 현장 간부 9명과 부산일반노조 사무국장이 신라대 사범대 옥상에 올라가 고공 농성을 시작했다. 조합원 30명은 이사장실 점거 농성을 이어가며 사범대 고공농성단을 지원했다.

청소노동자는 해고 철회와 직접고용을 요구하며 79일간 농성 투쟁을 이어갔다. 장기 투쟁에도 신라대 총장이 사태 해결에 나서지 않자 옥상 농성단은 3월 30일 단식에 들어갔다. 하지만 준비되지 않은 몸으로 긴급하게 단식하다 보니 탈이 나고 말았다. 4월 9일 간부 8명이 건강 악화로 의사 권고에 따라 옥상에서 내려와 농성장에 합류했다. 부산일반노조 사무국장과 현장 대표 1명은 끝까지 단식 농성을 이어가며 신라대에 직접고용을 촉구했다.

"단식이라는 것을 처음 했어요. 너무 배가 고프고 이렇게 단식하는 게 맞나 싶기도 하고 그랬어요. 제가 끝까지 단식했던 1인이에요. 문제가 해결될 기미가 보이지 않자 몸도 마음도 괴로웠어요. 단식 전에 먹었던 소주 한 잔이 기억에서 지워지지 않았어요. 결국 단식 전 남긴 소주를 몰래 한 잔 마셨는데 평소 두 병 먹어도 취하지 않는데 머리가 핑 돌더라고요. 더 마시면 병원 실려 갈 것 같아 잔을 놓아 버렸어요."

79일 동안의 이사장실과 사범대 고공 농성 끝에 5월 13일 신라대 청소노동자는 승리했다. 당시 신라대 총장은 농성 기간에 단 한 번도 학교에 모습을 드러내지 않았다. 청소노동자들이 학교에서 농성해도 얼굴을 비치지 않았고 집 앞에 찾아가 집회해도 소용없었다. 2014년 5월 13일 새천년민주당 을지로위원회 국회의원들의 중재로 총장이 학교에 나타나면서 사태 해결을 위한 물꼬가 트이기 시작했다.

새천년민주당 을지로위원회 중재로 총장과 협약서를 작성했다. 핵심 내용은 "기존 용역 업체에 고용되었던 노동자들을 특별한 사정이 없으면 고용 승계한다", "기존 업체에서 지급해 온 총액임금(상여금 포함) 및 근로조건을 포괄적으로 승계한다"였다. 그리고 2014년 5월 16일 부산일반노조는 용역 업체와 단체협약을 체결해 정년 65세까지 고용 보장을 약속받았다.

2014년 투쟁의 핵심 구호는 '직접고용 쟁취'였다. 청소노동자들은 용역 업체가 바뀔 때마다 일자리를 잃을 위기를 겪고 근로조건이 저하되기 때문이었다. 당시 합의서는 용역 업체가 바뀌더라도 고용을 보장받기로 했지만, 직접고용은 쟁취하지 못했다.

2014년 합의 이후 7년간 잠잠하다가 2021년 다시 해고 바람이 불었다. 2021년 신임 총장은 2014년 합의서는 본인이 작성한 것이 아니라면서 청소노동자 전원 해고를 강행했다.

"2014년 우리가 직접고용을 쟁취했다면 2021년 다시 이런 일이 없었을 것입니다. 하지만 당시 고공 농성 투쟁이 장기화하면서 시간을 더 지체할 수 없었습니다. 투쟁 중에 9명의 조합원이 이탈하기도 했고요. 2021년 투쟁은 직접고용 쟁취를 위한 끝장 투쟁이 되어야 한다고 생각합니다(정현실 지회장)."

시작

1월 27일 청소노동자들과 근로 계약한 용역 업체가 노동자들에게 해고예고를 통보했다. 현장 조합원들은 총장 면담을 통해 전원 해고 입장을 확인한 상태였지만, 막상 해고예고 통보서를 받으니 허무했다.

"해고예고 통보서 한 장으로 제가 이곳에서 일했던 10년의 역사가 정리되는 게 허무했습니다. 하루아침에 내 일터를 잃게 되니 걱정이 이만저만이 아닙니다. 종이 한 장 달랑 주고 노동자를 잘라낼 수 있는 법이 야속했습니다. 해고인데 학교와 용역 업체는 이걸 계약 만료로 처리할 수 있으니 노동법은 누구를 위한 법입니까?(정현실 지회장)"

노조에서는 해고예고 통보가 올 것에 대비해 1월 25일 총장 면담 이후 곧바로 기자회견을 준비했다. 부산일반노조 일을 시작한 지 한 달 밖에 되지 않았지만, 나는 노조위원장에게 보도자료와 기자회견문을 써 보겠다고 했다. 정당에서 상근자로 일하던 시절 정책언론부장을 맡은 경험이 있어 보도자료를 쓰는 데 익숙했다. 25일 온종일 보도자료 고치기를 반복해 26일 아침 기자들에게 발송했다.

기자회견에서 가장 중요한 것은 기자가 얼마나 오느냐다. 사실 글을 잘 쓰는 것보다 기자가 관심 가질 만한 주제를 얼마나 잘 던지느냐가 중요하다. 노조위원장은 첫 기자회견인 만큼 꼼꼼하게 준비하되 기대는 하지 말라고 했다. 지방 사립대학교 청소노동자 문제에 언론이 적극적으로 나서는 경우는 흔치 않다고 말했다. 정책언론부장 시절을 떠올려 보니 이슈가 되지 않을 것 같은 일에는 연락이 오지 않는 때가 많았다. 후속 보도자료를 만들어 뿌려야 뉴스에 한 줄 나올까 말까 했다. 혹시나 하는 마음에 기자회견 직후 뿌릴 수 있는 후속 보도자료를 전날 미리 만들었다. 당일 현장 사진만 첨부하면 바로 보낼 수 있었다.

그런데 예상과 달리 1월 27일 '신라대 청소노동자 집단해고 철회' 기자회견은 성황리에 진행되었다. 지역 언론사 수십 곳에서 백양산 중턱에 있는 대학 본부까지 취재를 왔다. 기자회견 직전까지 대학 본부 위치를 묻는 전화를 수십 차례 받았다. 뜻밖의 반응에 현장 조합원들은 바짝 긴장했다.

신라대지회 조직부장이 자리를 정리하기 시작했다.

"기자회견이 곧 시작될 것 같습니다. 우리끼리 있을 때처럼 있으면 안 됩니다. 오늘 해고예고 통보를 받은 만큼 우리가 얼마나 신라대에 화가 났는지 전 국민에게 보여 줍시다. 우리가 앞으로 제대로 싸울 거라는 걸 기자회견 30분 안에 모두 담아내야 합니다. 다 같이 한번 외쳐 봅시다. 집단해고 철회하고 직접고용 실시하라!"

기자들은 기자회견 장면 이외에 현장 노동자가 청소하는 모습을 카메라에 담고 싶어했다. 조합원이 청소 노동에 대한 외부 편견을 두려워할 것으로 생각해 기자에게 쉽지 않을 것 같다고 말했다. 그 이야기를 뒤늦게 들은 조합원들은 오히려 화내며 기자를 당장 불러오라고 했다.

"방송 촬영을 당연히 해야죠. 제 얼굴 알려지면 어때요? 우리가 지금 길거리에 나앉게 생겼는데 그게 중요합니까? 내 얼굴 알려져도 되고 주변 사람들에게 청소 일 한다고 알려져도 상관없어요. 지금 당장 밥줄 지키는 게 무엇보다 중요하죠. 부장님이 잘못 생각하신 거예요. 청소노동자로 살아왔던 내 인생을 단 한 번도 부끄러워한 적 없어요. 이 일을 지키는 것이 제 삶에서 중요해요. 기자들에게 당장 오라고 하세요."

기자회견이 시작되었고 지회장은 여러 언론으로부터 스포트라이트를 받았다. 지회장은 언론 인터뷰가 처음이라고 했다.

"기자들 왜 이렇게 많이 불렀어요? 이럴 줄 알았으면 미리 준비하라고 귀띔을 주시지 그랬어요. 인터뷰 대본도 미리 작성하고 화장실 가서 거울도 한 번 더 보고 왔을 텐데 말이죠. 말이 안 나와서 더듬더듬 죽는 줄 알았어요."

기자회견에서 기자를 어떻게 하면 많이 부를지만 고민했지, 조합원들이 어떻게 준비할지는 챙기지 못했다. 군기반장답게 지회장은 다음번에는 미리 손발을 맞추자고 조언했다.

이후 농성에 돌입하면서 기자를 상대할 일이 많았다. 그럴 때마다 우리 입장을 언론에 어떻게 전할지 대본을 작성한 뒤 지회장과 함께 검토해 인터뷰에 응했다. 처음에는 미숙했지만 우리는 점점 환상의 짝꿍이 되어 갔다.

집회 사회를 보다

1월 29일부터 매주 3회 '청소노동자 집단해고 철회' 중식 집회를 열었다. 보통 현장에서는 노동조합을 만들고, 교섭을 진행하고, 그 교섭이 결렬되었을 때 투쟁에 돌입한다. 우리 또한 총장 면담과 용역 업체 해고예고 통보로 인해 더 이상 사측과 교섭할 수 없는 상태였다. 우선 점심시간을 활용해 준법 투쟁부터 시작했다. 준법 투쟁은 쟁의 행위와 달리 업무에 지장을 주지 않는 선에서 노조 주장을 사측에 전달하는 투쟁 방식이다.

노조위원장은 내게 집회 사회를 맡아 달라고 부탁했다. 흔쾌히 수락했지만, 생각만큼 쉽지 않았다. 평소 남들 앞에 서서 이야기하는 것이 익숙했으므로 집회 사회 그까짓 거 대충 하면 된다고 생각했다. 하지만 집회 사회는 대표자로 발언하는 것과 다른 차원의 문제였다. 사회자는 집회 순서, 발언자, 공연자, 상황 판단 등 전체 행사를 기획하는 역할이다. 대표자로 발언만 할 때와 달리 품이 많이 들었다. 별 준비 없이 중식 집회를 진행했다가 여러 문제가 터졌다.

노동조합 집회 때 민중의례를 한다. 국가 행사에서 국민의례를 하는 것과 비슷하게, 민주화 운동과 노동자 권리를 위해 투쟁하다 돌아가신 열사들을 기리는 의례다. 보통, 반주에 맞춰 묵상한 뒤 〈임을 위한 행진곡〉을 제창한다. 집회 시작과 동시에 민중의례를 해야 하는데 까먹고 빼먹는 때가 많았다.

민중의례가 끝나면 간단한 인사말과 함께 참가자를 소개하는 시간을 갖는다. 집회에 참석한 다른 연대 단체를 소개하는 순서다. 이 과정도 자주 빼먹어 노조위원장에게 지적받았다.

"연대 단체 소개 빼먹으면 안 돼요. 우리야 신라대 문제가 우리 노조 문제이고 꼭 해야 하는 일이죠. 근데 다른 단체는 그게 아니잖아요? 시간 내서 우리한테 연대 오는 동지들을 뜨겁게 환대해야죠. 반갑게 소개하고 박수로 뜨겁게 환영하도록 해요. 다음엔 빼먹지 말고 하시길. 발언도 좀 해 달라고 부탁하시고요."

매주 하다 보니 집회 순서는 익숙해졌다. 그런데 새로운 실수가 이어졌다. 집회에서 발언하는 현장 조합원을 소개하는 과정에서 실수를 연발했다.

"오늘은 현장 동지들이 발언해 주시기로 했습니다. 김차영 동지 소개하겠습니다. 박수 부탁드립니다."

"부장님, 김차영이 아니고 김차엽입니다. 이름을 제대로 불러 주세요."

현장 조합원 발언자 섭외는 주로 지회장을 통해 부탁했다. 지회장은 집회 시작 전에 누구누구가 오늘 발언할 것이라고 미리 귀띔한다. 하지만 조합원들 이름을 적어 두지 않고 머릿속에만 넣어둔 채 사회를 보다 까먹는 일이 반복되었다. 그러자 지회장은 문자메시지로 조합원 이름을 보내 주었다. 문자메시지를 보고 외우기 위해 여러 번 되뇌었지만, 마이크를 잡으면 헷갈리곤 했다. 조합원은 주로 50~60대 여성으로 이루어져 있었다. 나와 세대가 다르다 보니 이름이 내 또래와 매우 달랐다. 하루에 한 번씩은 이름에서 자음 하나를 빠트리는 경우가 많았다.

"민중의례도 깜빡하시고 조합원 이름도 제대로 못 불러 주셔서 처음에 걱정이 많았어요. 솔직히 실수가 반복되니까 우리 투쟁 잘 이끌 수 있을까 하는 의심도 들었어요."

지회장은 현장에서 내가 주눅들까 봐 집회 사회 지적은 따로 하지 않았다. 그렇지만 계속 실수를 남발해서 솔직히 걱정이 많았다고 고백했다. 집회 사회를 같잖게 보고 섬세하게 준비하지 않은 내가 부끄러웠다.

신라대 똥 바람

2021년 2월 꽃샘추위가 매서웠다. 특히 신라대 대학 본부는 산 중턱에 위치해 도심보다 체감온도가 2~3도 낮았다. 바람이 불면 몸을 가누기 어려울 정도로 추울 때도 많았다. 도심에 봄이 오고 있었지만, 신라대는 해고 노동자 마음처럼 추웠다.

중식 집회에는 노조의 방송차를 이용한다. 집회에 쓸 수 있도록 10인승 승합차에 음향 장비를 장착했다. 이 장비를 이용해 민중가요를 틀고 발언한다. 그리고 차량 위에 만든 구멍에 부산일반노조 깃발을 꽂는다. 우뚝 솟은 깃발은 노조가 집회하고 있음을 상징적으로 나타낸다.

신라대 투쟁 때마다 "깃대가 신고식을 치른다"는 말이 유명했다. 바람에 부러진 깃발만 해도 두 손으로 꼽을 정도라는 얘기다. 특히 새로운 투쟁이 시작될 때마다 깃대가 부러졌다. 2월 5일 점심시간에도 바람이 많이 불었다. 결국 이번 투쟁에도 깃대가 혹독한 신고식을 치렀다. 깃대가 90도로 기울면서 다시 쓰지 못할 상태가 되었다. 현장 조합원은 비장한 표정을 지었다.

"신라대 투쟁 때마다 깃대가 신고식 치르는 거 알죠? 깃대가 망가지면 신라대 투쟁이 제대로 시작된다는 뜻이더라고요. 저 똥 바람도 우리를 투쟁으로 몰고 가네요. 뭔가 서글프지만, 정신이 번쩍 들긴 합니다. 우리 투쟁 장기전에 대비해야 할 것 같아요."

신라대 청소노동자 집단해고 철회 준법 투쟁은 2월 25일까지 매주 3회 열렸다. 하지만 학교는 태도를 바꾸지 않았다. 우리는 2월 23일 전면 파업을 선언하고 농성 투쟁에 돌입했다.

준법 투쟁

헌법에는 노동삼권이 보장되어 있다. 노동삼권은 단결권, 단체교섭권, 단체행동권을 말한다. 단결권은 모든 노동자가 노동조합을 결성하고 가입할 권리를 뜻한다. 단체교섭권은 노동조합을 통해 사용자와 임금, 복지 등에 관해 교섭할 수 있는 권리이다. 단체행동권은 파업이나 태업 등, 주장을 관철할 목적으로 업무를 저해하는 행동을 말한다.

신라대 청소노동자도 헌법에 보장된 노동삼권에 따라 투쟁을 이어갔다. 1월 25일 신라대 총장과 면담을 통해서 학교 입장이 완강하다는 것을 확인했다. 노조에서는 법적인 절차에 따라 용역 업체에 임금 및 단체협약 체결을 위한 교섭 창구 단일화 절차를 요청했다.

2011년 7월 1일 기업 단위 사업장에서 복수 노동조합 설립이 허용

되면서 교섭 창구 단일화 절차가 제도화되었다. 교섭 창구 단일화는 교섭 대표 노동조합을 정하는 절차를 뜻한다. 신라대 청소노동자는 민주노총 부산일반노조 신라대지회와 한국노총 부산지역비정규직 일반노조 신라대지부 소속으로 나뉘어 있다. 교섭 창구 단일화 절차를 통해 교섭대표노조로 결정된 지회가 용역 업체와 교섭을 시작한다.

2월 4일 교섭 창구 단일화 과정에 한국노총은 참여하지 않아 민주노총 부산일반노조가 교섭대표노조로 확정되었다. 하지만 청소노동자를 고용한 용역 업체는 학교가 용역 계약을 2월 28일부로 해지하기 때문에 더 이상 논의할 게 없다며 교섭을 거부했다. 결국 노동쟁의 조정 신청을 할 수밖에 없었다.

2월 8일 노조에서는 부산지방노동위원회(이하 지노위)에 노동쟁의 조정을 신청했다. 노동쟁의 조정을 위한 노동위원회는 총 3명의 위원으로 구성된다. 사용자위원 1명, 근로자위원 1명, 공익위원 1명이다. 노동위원회는 10일 이내에 노사의 입장을 서면 자료와 조정 회의를 통해서 확인하고 사건에 관한 판단을 권고한다. 조정 회의에는 조정위원 이외에도 노사 관계자가 참석한다. 노사 간 견해차가 좁혀져서 조정되기도 하나, 한쪽이라도 거부하면 조정 중지 결정이 내려진다. 조정 중지 결정이 내려지면 노동조합은 쟁의행위에 들어갈 수 있다. "쟁의행위로는 근로자 측의 동맹파업 · 태업 · 보이콧 · 생산관리 · 피케팅 등이 있고 사용자 측의 직장폐쇄가 있다. 쟁의행위는 노사의 분쟁 상태를 의미하는 노동쟁의(2조)와 근로시간 후의 집회 등 일반적 단체행동과는 구별되는 개념으로서 단체교섭의 결렬 결과 노동조합 또는 사용자가 행하는 실력 행사이다. 노동관계 당사자가 그 주장을 관철할 목적으로 업무의 정상적인 운영을 저해하는 것을 법적으로 보장하는 것이다(네이버 두산백과)."

현행법상 조정 절차 없이 업무 시간에 파업과 같은 쟁의행위를 하면 불법 파업으로 규정해 처벌받는다. 지노위 조정 절차를 거치지 않으면 업무 시간 이외에 점심시간, 출퇴근 시간 등을 이용한 준법 투쟁밖에 하지 못한다. 신라대지회는 2월 18일 조정 절차가 최종 결렬되어 2월 23일 전면파업에 돌입했다.

진짜 사장은 앞에 나서지 않는다

2월 18일 지노위 조정 회의에 신라대지회 간부들과 함께 출석했다. 나는 노조 신임 조직부장 자격으로 조정 회의를 참관했다. 노조에서 일하기 전에는 지노위 조정 절차와 참여자를 자세히 알지 못했다. 이번 사안이 심각한 만큼 용역 업체 사장뿐만 아니라 학교 관계자도 함께 출석할 줄 알았다. 하지만 용역 업체 사장만 출석했다.

신라대는 청소노동자 고용과 관련해 용역 업체와 계약을 맺고 계약금만 지급한 뒤 손을 뗀다. 그래서 청소노동자가 단체교섭을 요청하면 용역 업체 사장이 법적인 사용자로 등장한다. 하지만 교섭 때마다 최종 결정은 학교가 하므로 용역 사장은 늘 학교와 상의해 보겠다고 답변한다. 그럼 학교는 용역 업체에 관리 감독을 넘겼으므로 책임질 부분이 없다고 말한다. 법적으로 지노위 조정 회의에 학교 총장은 출석할 필요가 없는 셈이다. 이것이 간접고용 비정규직 노동자의 핵심 문제다.

간접고용은 사용자가 노동자를 직접고용하지 않고 외부 업체를 통해 고용하는 형태를 말한다. 흔히 말하는 '아웃소싱' 즉 외주화다. 간접고용 비정규직 노동자는 파견과 도급으로 나뉜다. 파견은 외부 업체를 통해 원청이 해당 업무를 파견 노동자에게 맡기는 형태다. 파견 노동자는 원청 사용주의 지휘와 명령을 받아서 일한다. 파견법은 1997년 IMF 이후 김대중 정부의 노동시장 유연화 정책으로 탄생했다. 경비, 청소 등 32개 업종으로 제한하고 있다. 제조업에는 파견을 둘 수 없다. 그리고 2년이 지나면 직접고용의 의무가 발생한다. 파견 노동자는 파견 업체와 원청이 반반씩 법적 책임을 나눈다.

반면 도급은 도급인(원청)으로부터 수급받은 수급인(사내 하청 업체, 용역 업체 등)이 직접 노동자를 관리·감독하고 노동자에 대한 법적인 책임도 진다. 파견에 비해 도급은 범위가 넓어 대부분 업종에서 가능하다. 그리고 파견과 달리 2년을 초과하더라도 원청에서 직접고용할 의무가 없다.

대학은 보통, 청소노동자와 파견 계약보다 용역 업체 도급계약을 선호한다. 용역 업체 입찰에서 가장 낮은 가격을 써 낸 낙찰자를 선정하는 '최저가 낙찰제'를 통해 해마다 가장 싼 용역 업체와 계약한다. 용역 업체가 바뀌면 노동자는 새로운 업체의 신입사원이 된다. 임금은 오르지 않고 구조조정으로 인해 고용이 불안해진다. 또한 용역 업체와 도급계약을 하지만 인사와 노동조건에 관한 결정 권한은 학교가 갖고 있다. 그런데도 학교는 노동자에 대한 법적 의무가 없다고 하고, 용역 업체는 권한이 없다며 서로 책임을 미룬다. 신라대의 경우 2011년부터 10년간 6개의 용역 업체가 거쳐 갔지만 청소 노동을 제공하는 사람들과 제공받는 학교는 바뀌지 않았다.[4] 일명 '위장도급'이 만연한 상태다.

학교는 용역 업체를 통해서 도급계약했으므로 청소노동자는 학교와 고용관계가 없다고 주장한다. 하지만 노조 가입 전까지 교수 사무실 이삿짐 운반, 잔디밭 풀매기, 학생 축제 세팅 및 뒷정리 등 청소 이외 업무를 학교가 지시했다. 그뿐만 아니라 외국인 교수 개인 숙소 청소도 청소노동자 담당이었다. 노조를 만들어 문제를 제기하자 학교 관리자는 "학교에서 빵과 우유를 줬잖아요"라며 반발했다. 노동에 대한 정당한 대가를 지급했다는 것이다.

"정당한 노동의 대가를 빵과 우유로 퉁치려 했던 학교 관리자는 그 말 이후 청소노동자만 보면 눈길을 피하더라고요. 당당하게 말하더니 노조에서 법적인 근거를 들이대니까 할 말이 없었던 거죠. 슬슬 피하는 거 보면 자기도 그렇게 말하고 부끄러움을 느꼈나 봐요(정현실 지회장)."

2012년 신라대 청소노동자 임금은 최저임금 월 95만 7,220원이었다. 주 5일 하루 8시간을 일하지만, 임금은 민주노총에서 발표한 1인 가구 표준생계비 187만 2,294원에 턱없이 모자랐다. 그 뒤로 9년의 시간이 흐른 2021년 임금은 최저임금 182만 2,480원에 식대, 교통비 등이 추가되었을 뿐이었다.

그리고 용역 업체가 바뀔 때마다 고용이 불안했다. 2014년 용역 업체 변경 과정에서 40명에게 해고를 통보했다. 신라대지회는 해고에 반대하며 대학 본부 농성 투쟁을 벌였다. 79일 동안의 농성 끝에 극적으로 합의해 고용 안정을 보장받았다. 하지만 2021년 집단해고라는 현실을 다시 마주한다. 학교와 직접고용 계약을 맺지 않은 청소노동자는 용역 업체에서 계약 만료라고 하면 나가야 한다. 법적으로 부당해고 구제 신청을 해도 힘든 싸움이다. 법적으로는 해고가 아니라 비정규직 노동자 계약 기간 만료이기 때문이다. 정규직처럼 복잡한 정리해고 절차를 거치지 않아도 쉽게 해고할 수 있다는 것이 간접고용 비정규직 노동자를 사용자가 선호하는 이유다.

물론 2021년 4월 29일 대법원에서는 용역 업체 변경 시 용역 업체 소속 노동자의 고용 승계 기대권을 보장해야 한다고 판결했다(대법원

2021. 4. 29. 선고 2016두57045). 용역 업체 변경 시 특별한 이유가 없다면 고용을 보장해야 한다는 내용이다. 대법 판결 이후 현장 조합원이 법적으로도 부당해고로 싸워볼 만하지 않냐고 물었지만, 부당해고 구제 신청을 하지는 않았다. 신라대의 경우 용역 업체 변경이 아니라 계약해지라 대법원 판결이 적용될 수 있을지 확신이 서지 않았기 때문이다.

지노위 조정위원도 이해 못하는

지노위 조정 회의는 싱거웠다. 용역 업체 사장은 학교가 청소노동자에 대한 용역 계약을 해지해서 할 수 있는 이야기가 없다는 말을 반복했다. 현장 간부들도 합의가 될 것으로 생각하지 않았다. 이미 총장 면담을 통해서 학교 입장이 완강하다는 것을 알았기에 조정 회의를 통한 쟁의권 획득이 목표였다. 오히려 부산지방노동위원회 조정위원들이 대학에 청소노동자가 없는 게 말이 되냐며 사후 조정을 한 번 해 보겠다고 말했다.

"대학에 청소노동자가 없다는 것은 말이 안 됩니다. 여러 사건을 보면 노동자 일부를 정리하는 구조조정을 하는 경우는 많습니다. 아무리 학교가 어렵다고 하더라도 청소노동자 전원을 해고하는 경우는 본 적이 없습니다. 오늘 회의에서 조정 중지하고 쟁의권을 드리지만,

우리가 신라대 총장을 한번 만나 사후 조정해 보겠습니다."

지노위 조정 절차에 사전 조정과 사후 조정이 있다. 노사 대립이 격해지기 전에 조정위원이 조정 회의 전후에 노사 관계자를 만나 사건을 해결하는 방법이다.

2월 18일 조정 중지를 결정하고 조정위원이 사후 조정을 위해 19일 신라대 총장을 찾았다. 하지만 총장은 학교 경영이 어렵다며 조정위원을 빈손으로 돌려보냈다. 결국 사후 조정도 결렬되었다.

신라대지회는 2월 18일 쟁의권을 획득했다. 현장에서는 지노위 결렬을 예상하고 2월 9일에 이미 쟁의행위 찬반 투표를 실시했다. 파업은 쟁의행위 찬반 투표 없이 할 수 없다. 쟁의행위는 총회를 열어 전체 조합원의 과반이 찬성해야 법적으로 유효하다. 신라대지회 쟁의행위 찬반 투표는 97.22퍼센트로 가결되었다. 2월 18일 조정이 결렬되자마자 지방노동위원회에 쟁의행위신고서를 제출하고 2월 23일 전면파업에 돌입했다.

"이제 우리는 전면파업에 돌입할 수밖에 없는 상황입니다. 우리는 준법 투쟁하면서 총장에게 설날 전까지 해결해 달라고 했지만 아무런 말이 없었습니다. 심지어 지노위 조정위원들이 총장을 따로 만나 설득했지만 해결되지 않았습니다. 이제 남은 것은 전면파업입니다. 2014년 79일 농성 투쟁 끝에 승리한 경험이 있습니다. 이번에도 충분히 할 수 있습니다. 동지들 마음 단단히 먹으시고 파업 투쟁 준비합시다!"

정현실 지회장의 말에 현장은 웅성웅성했다. 파업을 결의하겠다는 굳은 표정과 함께 파업까지는 가지 말아야 한다는 우려가 쏟아졌다. 전면파업을 하면 포기해야 하는 일상과 가족이 걱정된다고 말했다. 한 조합원이 말했다.

"솔직히 농성 없이 사태가 해결되었으면 했어요. 노조 활동 중에 다시는 하고 싶지 않은 것이 농성 투쟁이었어요. 추운 겨울, 집이 아닌 공간에서 자는 것도 걱정이고 가족들에게 어떻게 이야기해야 할지도 고민이 됩니다. 주말도 없이 학교에서 먹고 자고 투쟁할 생각하니 조금 서글프네요. 〈펜트하우스〉, 〈미스트롯〉도 봐야 하는데 파업하면 못 보잖아요."

농성 이후 찾아오는 외부 연대인이 가장 놀란 것은 신라대지회가 24시간 농성 투쟁을 한 번 더 하겠다고 결정한 점이었다. 원래 모르는 사람이 무슨 일을 도모할 때 쉽게 결정하는 법이다. 힘든 일을 겪은 사람은 쉽게 결정하지 못한다. 신라대의 2014년 농성은 고공 농성과 단식까지 할 만큼 힘들었다. 그런데도 2021년 신라대 조합원들은 다시 농성 투쟁을 결정했다.

일부 언론에서 유독 민주노총 투쟁의 과격함을 강조한다. 민주노총은 법의 테두리를 지키지 않고 국민의 일상에 피해를 준다는 보도가 많다. 회사 건물을 점거하고 폭력적인 방법으로 투쟁을 일삼는 조직으로 묘사한다. 하지만 민주노총 산하 노동조합은 신라대지회와 같이 노동법에 따라 대응하며 투쟁을 배치한다. 노사 간의 단체교섭과 준법 투쟁, 노동위원회 노동쟁의 조정을 통해 문제를 해결하기 위해 노력한다. 그렇게 해도 해결되지 않으면 사태의 심각성에 따라 다른 방법을 찾는다.

신라대 투쟁 또한 준법 투쟁을 통해 총장의 태도 변화를 촉구했지만 해결되지 않아 2월 23일 전면 파업을 선언했다. 3월 1일이면 청소노동자는 더 이상 신라대 노동자가 아닌 해고자 신분이 된다. 학교에서 가처분 소송을 걸면 법원에서 퇴거하라고 할 수 있었다. 그런데도 농성 투쟁을 114일간 밀어붙였다. 누가 봐도 청소노동자를 전원 해고하는 것은 부당하다고 보았기 때문이다. 법의 테두리를 넘어서는 투쟁을 시작할 때 민주노총은 많은 사람이 동의할 수 있는 여론을 만들고자 노력한다. 민주노총 투쟁의 과격함을 따지기 전에 제도를 통해 보호받지 못하는 열악한 노동자의 현실을 생각했으면 한다.

농성 초짜

2003년 사회운동을 시작한 뒤 18년 동안 숱한 농성 투쟁이 있었고 그곳에 연대한 경험은 많았다. 하지만 농성 투쟁을 직접 준비한 적은 없었다. 대충 의식주를 해결할 수 있으면 되지 않을까 막연하게 생각했다. 그런데 챙겨야 할 것이 상당히 많았다. 꼼꼼하지 못한 성격 탓에 놓치는 것이 많겠다는 걱정부터 앞섰다. 그러자 정현실 지회장이 눈치채고 한마디했다.

"너무 걱정하지 마세요. 우리 농성 투쟁 여러 번 해 본 사람이에요. 우리가 다 알아서 준비할 테니 걱정하지 말고 각오나 단단히 하세요."

과거에 경험했던 농성 투쟁은 점거를 시작하는 첫날이 가장 중요했다. 점거 농성을 결의했는데 경찰이나 학교 관계자의 방해로 점거가 실패로 끝나면 그동안 준비했던 계획이 무산되기 때문이다. 그래서 부산지역 시민사회와 정당 활동가들에게 연락해 농성 첫날 대학 본부 진입 투쟁에 연대해 달라고 부탁했다. 공개적으로 SNS에 농성 돌입 공지를 올릴 수는 없었다. 괜히 공개했다가 학교 측에서 대학 본부 문을 걸어 잠그면 농성할 수 없기 때문이다. 아름아름 부산일반노조의 다른 현장 조합원들과 지역 활동가들을 조직하는 방법밖에 없었다.

긴장 속에 이루어진 점거 농성 투쟁 첫날은 생각보다 순조롭게 흘러갔다. 농성 시작 시간을 조합원들과 공유하고 총장실로 진입하는 여러 통로를 활용해 나눠서 모이자고 약속했다. 약속한 시간에 현장 조합원 전원이 총장실 앞에 모여 농성을 시작했다. 학교는 별다른 반응을 보이지 않았다. 농성과 동시에 파업 출정식을 가졌다. 아무래도 학교 측은 3월 1일이면 계약 만료이므로 노동자들이 순순히 집으로 돌아가겠거니 예상한 것 같았다. 실제로 합의에 이르는 시점에 학교 관계자는 농성을 6월까지 할 줄 전혀 예상하지 못했다고 말했다.

"이렇게 길게 농성하실 줄 몰랐습니다. 3월 1일이 되면 정리하고 돌아가실 줄 알았는데 100일이나 지났으니 우리가 두 손 두 발 다 들 수밖에 없는 상황이었습니다."

신라대지회는 집단해고를 철회할 때까지 농성장에서 먹고 자겠다고 결심했다. 농성장을 집처럼 만들어야 했다. 조합원은 일사불란하게 농성장을 차렸다. 농성장 바닥에 대형 깔개와 전기장판을 한 사람에 하나씩 깔았다. 두툼한 이불이 농성 시작과 동시에 들어왔다. 대학 본부 1층 한 모퉁이는 부엌이 되었다. 부엌은 시간이 지날수록 변모했다. 냉장고, 편의점에서 볼 수 있는 대형 포트기, 아일랜드 식탁 등이 자리 잡았다.

농성 투쟁 첫날 밤, 실내 취침이니 침낭을 대충 덮고 자면 될 것 같았다. 나는 다른 단체에서 빌린 여름용 침낭 속으로 들어갔다. 그러나 2월 말도 겨울에 버금가는 날씨였다. 특히 산 중턱에 있는 대학 본부는 도심보다 추웠다. 첫날 밤 혹독한 추위에 밤잠을 설쳤다. 핫팩 2장에 의지해 새우잠을 잤다. 다음날 전기장판 하나 준비하지 않고 추운 밤을 보낸 내가 안타까운지 지회장은 바로 전기장판과 두툼한 이불을 구해 주었다. 첫날 점거를 어떻게 하고 파업 출정식을 어떻게 진행할지만 생각했지, 어떻게 생활할지는 생각하지 않은 어리숙함이 빚은 참극이었다.

"부장님, 농성 초짜네요. 겨울에 숙식 농성 투쟁하려면 제대로 준비해야죠. 근데 우리도 처음 농성할 때 부장님과 똑같았어요. 가을 이불 준비했다가 첫날 밤잠을 설쳤죠. 전기장판을 설치해야 하는지도 몰랐고요. 저희는 어제 푹 잤어요. 전기장판에 두툼한 이불도 제대로 준비했거든요. 부장님 것도 구해 왔으니 오늘부터는 맨바닥에서 자지 마시고 따뜻하게 취침하세요."

농성 투쟁 프로그램은 단순했다. 등교, 점심, 하교 등 학생이 가장 몰리는 시간에 방송차를 이용해 집회를 열었다. 내가 사회를 보고 조합원이 발언하고 민중가요에 맞춰 빈 2리터짜리 생수 페트병을 두드리는 방식이었다. 저녁에는 지역 뮤지션들의 공연으로 꾸민 투쟁문화제가 열렸다. 조합원들에게 힘을 주기 위해서였다. 틈틈이 일정이 비는 낮에는 조합원 교육을 하거나 지역의 다른 사업장 투쟁에 참여했다.

2월 28일까지 농성 투쟁은 평화로웠다. 준비한 농성 프로그램을 마음껏 돌릴 수 있었고 지역 활동가들도 수시로 찾아와서 투쟁을 지원했다. 하지만 계약 종료일인 3월 1일이 걱정이었다. 농성 투쟁이 불법으로 규정되는 3월이 되면 분명 학교는 농성장을 강제로 철거할 것이다. 준비가 필요했다. 주말이면 학교가 비는데, 2월 27일~3월 1일은 주말을 낀 연휴였다. 농성을 시작하고 주말이 되면 조합원은 조를 나눠서 돌아가며 집에 가기로 했다. 그러나 강제 철거가 예상되는 2월 28일 하루만은 아무도 집에 가지 않고 농성장을 지키기로 했다.

소심한 대응

3월 1일 아침이 되었다. 학교는 농성장 철거를 강행하지 않았다. 하지만 소심한 방식으로 시비를 걸었다. 신라대 정문에는 주차 차단기가 설치되어 있다. 등록 차량과 미등록 차량을 전자기계가 자동으로 구별해 번호를 저장한다. 주차 차단기는 등록 차량 이외에도 모든 차량을 통과시켰다. 하지만 3월 1일 학교는 농성장을 방문하는 차량의 진입을 막았다.

"오늘 신라대에 투쟁지원금 전달하려고 잠시 왔는데 차량을 못 통과시켜 주겠다고 하네요. 신라대 노조 활동 때문에 왔다고 하니 주차 차단기를 열어 줄 수 없다고 해요. 어떻게 해야 할까요?"

우선 주차 요원에게 찾아가서 항의했다. 집회에 참석하는 사람을 학교에서 막을 자격은 없다고 따졌다. 하지만 주차 요원은 학교의 지시라 시키는 대로 할 뿐이라고 딱 잘라 말했다. 계속 이야기해 봤자 소용없다는 생각이 들었다. 다른 방법을 찾아야 했다.

학교에서 주차 차단기를 막아 버리면 농성장이 고립된다. 물론 걸어오는 사람을 막지는 않는다. 하지만 농성장에 필요한 물품을 조달하기 위해서는 차량이 필수다. 학교 정문에서 대학 본부까지는 걸어서 15분 이상 걸린다. 차량 출입이 막히면 사람들 발길도 끊길 수밖에 없었다. 산 중턱에 농성장이 있어 외부인의 발길이 끊기면 고립될 위험이 컸다. 어떻게든 차량을 통과시킬 방법을 찾아야 했다.

현장 간부들과 긴 토론 끝에 3월 2일 오전 등교 시간을 노리기로 했다. 등교 시간에는 교직원 차량으로 정문 앞이 혼잡하다. 우리 전략은 가장 바쁜 등교 시간에 정문 출입구로 노조 차량을 통과시키는 것이었다. 만약 3월 1일처럼 학교가 노조 차량을 막으면 뒤에 차량이 막혀 학교 출입이 마비될 것이 뻔했다. 예상대로 학교는 노조 차량을 막으며 뒤로 빼 달라고 요청했다. 하지만 차량이 많아 뒤로 뺄 수 없었다. 우리는 주차 차단기를 열어 달라고 요청했다. 결국 주차 요원은 뒤 차들의 항의에 못 이겨 주차 차단기를 열어 주었다. 그 뒤부터는 주차 차단기를 내리지 않았다. 학교의 노조 차량 통제는 등교 투쟁으로 무산되었다. 그러나 학교는 나중에 노조가 일부러 출입구를 봉쇄해 업무를 방해했다며 '퇴거 및 업무방해 등의 가처분 소송' 증거 자료로 제출했다.

학교는 주차 차단기 이외에도 사소한 것을 통제했다. 24시간 농성 투쟁하면 학교에서 씻어야 한다. 학교에는 건물마다 한 개씩 샤워장이 있다. 2월까지는 누구나 쓸 수 있게 열려 있었다. 하지만 3월 1일이 되자 샤워장 문이 잠겼다는 제보가 들어왔다. 내가 쓰는 농성장 부근 남자 샤워장 또한 잠겼다.

"부장님, 남자 샤워장 문 열렸어요? 학교에서 갑자기 샤워장을 통제하고 있어요. 학교에 전화해 보니 코로나 때문에 외부인에게 샤워장 개방이 어렵다고 하더라고요. 학교가 쪼잔하게 씻는 것 가지고 통제하는 게 어이없네요."

지회장은 학교 간부에게 노사 대립 과정에서도 최소한의 권리는 보장하라고 항의했다. 하지만 학교는 코로나19 확산으로 외부인 샤워장 출입을 통제할 수밖에 없다고 대답했다. 조합원들은 청소노동자를 해고와 동시에 외부인으로 취급하는 것이 서러웠다.

"집회, 시위하는 거 학교가 불편한 건 당연하다고 보는데요. 샤워장에서 씻지 못하게 하는 건 너무하지 않아요? 우리가 해고되었다고 바로 외부인 취급하는 학교 태도가 너무 서러워요. 신라대를 청소한 세월이 10년이 넘는데 말이죠."

공식적으로 학교는 샤워장을 외부인에게 개방하지 않았다. 우리는 동전으로 쉽게 문을 열 수 있는 샤워장을 몰래 이용했다. 학교도 못 본 척 눈감았다. 샤워장 사건 이후 생활을 통제하는 탄압을 학교는 더 이상 하지 않았다. 하지만 더 세련된 방식으로 농성을 무력화하기 위한 전략을 구사했다. 2월의 평화롭던 농성 투쟁은 3월부터 예상치 못한 방향으로 나아갔다.

2

점거 농성

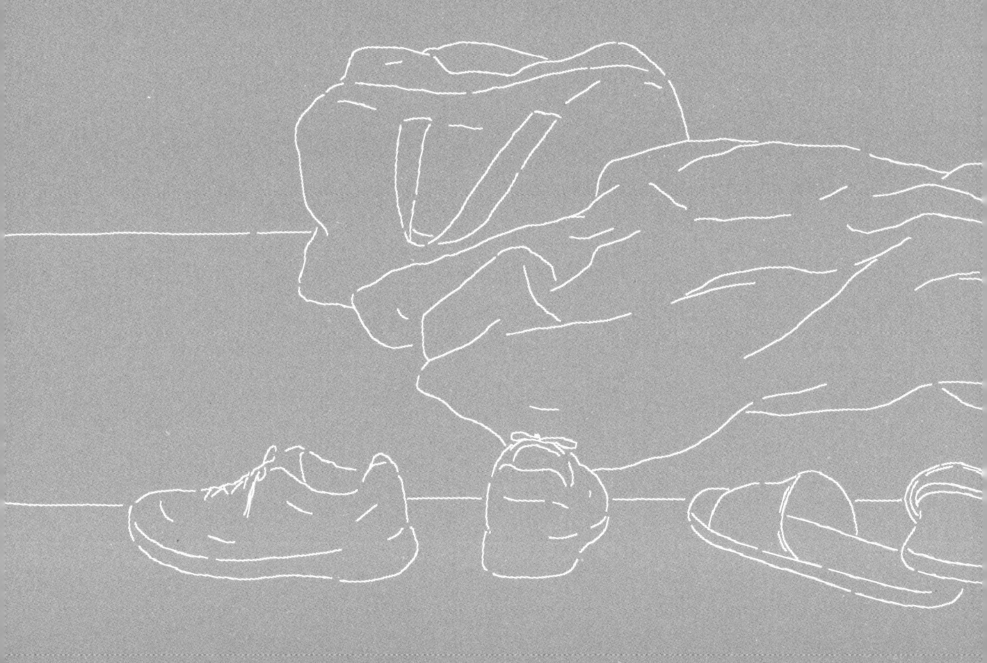

학습권 보장
학생 집회

농성장 기상 시간은 오전 6시 30분이다. 일어나 세수하고 얼른 준비해 8시 30분, 등교하는 학생과 교직원을 만나러 가야 한다. 조합원들은 기상 시간이 더 빠르다. 오전 8시부터 일하던 조합원들에게 6시 30분은 늦은 시간이다. 보통 6시에는 일어나야 8시까지 학교로 출근할 수 있다. 농성장에서도 그 습관은 변하지 않았다. 길게는 10년 이상 일한 조합원들에게 아침 시간이 하루 중 가장 바쁘다.

"아마 늦잠 자고 싶어도 못 잘 거예요. 따로 알람 안 맞춰도 우리가 아침 6시 전에 일어나서 농성장 이곳저곳 다니며 사부작사부작거리면 잠 다 달아날걸요?"

늦은 밤까지 농성 투쟁 일정이 잡히는 때도 많았다. 다른 지역 노동자 투쟁에 연대하러 가면 보통 밤늦게 신라대로 돌아와 평소보다 늦게 자곤 했다. 그럼 그다음 날은 왠지 6시 30분에 알람을 맞추더라도 쉽게 못 일어날 것 같았다. 그러나 현장 조합원들은 달랐다. 아무리 늦게 취침해도 기상 시간은 6시 전이었다. 6시 전에 사부작거리는 발걸음 소리가 나면 덩달아 나도 눈이 떠졌다. 알람 설정이 필요 없었다. 덕분에 농성 기간 내내 늦잠 한 번 자지 않고 아침 일정을 소화할 수 있었다.

학습권을 보장하라

아침 등교 투쟁은 주로 방송차를 이용했다. 민중가요를 크게 틀고 박자에 맞춰서 빈 페트병을 두드리며 요구 사항을 알렸다. 대학은 일반 회사와 차이가 크다. 회사는 사용자와 노동자의 구분이 명확하다. 대학은 청소노동자와 총장, 용역 업체 이외에도 학생, 교직원, 보안업체 노동자, 교수, 통학버스 기사 등 다양한 구성원이 공존한다. 농성 투쟁이 학내 구성원에게 영향을 끼치므로 다양한 반응이 나올 수밖에 없다. 그러다 보니 소음을 일으키는 방송차가 논란의 중심에 섰다.

3월 19일 교수평의회와 총학생회는 각각 청소노동자 농성에 관한 대자보를 학교에 붙였다. 그리고 총학생회는 '학습권 침해하는 집회 시위 중단하라!', '교수님 목소리가 안 들려요', '학습권을 보장하라!'는 현수막을 학내 곳곳에 내걸었다. 교수평의회와 총학생회는 집회와 시위가 일으키는 소음 때문에 학내 구성원이 피해를 받고 있다고 주장했다.

지금 우리 캠퍼스에서 벌어지고 있는 소란스러운 상황과 행동에 대해서 대학 구성원 모두가 심각한 우려감을 표명하고 있습니다. 기본적으로 민주주의는 소수의 자기 집단만의 이익을 위해 다른 모든 것이 정당화될 수는 없습니다. 작금의 상황은 학생들의 학습권을 철저하게 무시하는 행태로 비추어지고 있으며 교육 현장에서는 절대 용인될 수 없는 행동입니다(2021년 3월 19일 '신라대 교수평의회 의장단 일동' 대자보 중에서).

총학생회와 교수평의회 대자보에 대해 청소노동자를 지지하는 학생들의 반박 대자보가 붙으면서 학생 학습권 논쟁이 일었다.

현재 학교 경영 위기는 수년 전부터 예견되어 온 것이고, 지역 사립대학이라면 모두가 피해 갈 수 없는 문제입니다. 그렇다면 미리 이에 대한 적절한 대책을 마련해 놓았어야 하는 것이 학교 본부의 책임입니다. 하지만 그 책임을 구성원들에게 떠넘기는 작금의 방식, 즉 청소노동자를 잘라내고 졸속으로 학과를 없애는 식으로 간다면 내일은 다른 이들이 타깃이 될 수밖에 없을 텐데 이에 대한 총학생회의 견해와 대책이 궁금합니다(2021년 3월 20일 '청소노동자를 지지하는 신라대 학생 모임' 대자보 중에서).

청소노동자 집단해고 철회를 담은 노조 대자보와 현수막을 훼손하는 일도 벌어졌다. 3월 24일 노조 현수막이 반토막 났다. 5월 10일 학생 커뮤니티 '에브리타임' 익명게시판에는 노조 대자보를 불태웠다는 인증 사진이 올라왔다.

"현수막 찢어질 때마다 내 마음 한쪽도 찢어지는 것 같았어요. 누가 계속 이런 식으로 우리 투쟁을 탄압하는지, 까놓고 농성이 불편하고 문제 있다고 찾아와서 이야기해 주었으면 하는 마음도 있었어요. 경찰에도 신고해야 하나 싶기도 하면서 저것도 하나의 표현이다 싶어서 그냥 두었어요. 그래도 훼손했다고 자랑거리로 인터넷 게시판에 올린 사람은 용납이 안 되더라고요(조합원)."

현수막 훼손은 농성 투쟁이 끝나는 6월까지 계속되었다. 반 토막 난 현수막이 지저분해 철거하려고 했다. 하지만 노조위원장과 조합원은 철거하기보다는 조각난 현수막에 철사를 이어 붙여 재활용하자고 했다. 현수막은 제법 그럴듯하게 복구되었다. 외부 연대인과 시민은 철사 끈으로 연결된 현수막을 보고 훼손한 이를 욕하곤 했다. 노조에서는 현수막을 훼손한 사람을 색출하거나 경찰에 신고하지 않았다. 우리는 사법적 대응보다 사회적 심판을 통해 그 행동이 잘못되었음을 훼손한 사람에게 전달하고 싶었다.

신라대는 4월 3일 토요일부터 코로나19 방역을 실시한다고 공지했다. 조합원들은 여느 주말과 다름없이 집에 다녀올 사람을 제외하고 농성장을 지키며 학내를 순찰했다. 혹시나 학교에서 주말에 다른 꿍꿍이를 벌이는 게 아닌지 궁금했다. 불길한 예감은 적중했다. 학교는 코로나 방역 업체 직원들을 고용해 방역과 더불어 학내를 청소하고 있었다. 업체 직원은 방역을 위해 더러운 곳만 일부 청소한다고 말했다. 그들 손에는 신라대 전용 주황색 봉투가 여러 장 쥐여 있었고 짐을 실은 카트에 청소 도구가 가득했다.

농성 기간에 대체 인력을 투입해 청소한 사실은 농성장에 남은 노동자들을 허탈하게 만들었다. 분노를 못 참고 몇몇 조합원은 대체 인력이 청소한 곳에 쓰레기통을 엎었다. 이 장면을 학교는 놓치지 않고 촬영했고, 총학생회는 그 사진을 현수막 배경으로 썼다. 4월 6일 총학생회 2차 현수막 문구는 이랬다.

'고의적인 학습권 침해 더 이상은 못 참겠다!'

'앞에서는 투쟁, 뒤에서는 투척'

'민주노총에서 말하는 정의와 노동의 가치가 이런 것입니까?'

4월 7일 연대활동가가 총학생회 현수막 뒷면에 '신라대 학생지원팀'이라고 표시되어 있다고 노조에 제보했다. 사실 확인을 위해서 노조와 자주 거래하는 현수막 업체에 전화했다. 업체는 보통, 현수막을 구분하기 위해 뒷면에 주문자를 표시한다고 말했다. 학교가 총학생회를 앞세워 노조를 탄압하고 있다는 증거를 발견한 셈이다. 즉시 노조 페이스북과 집회 등을 통해 학교가 노조 탄압을 위해 총학생회를 이용하고 있다고 비판했다.

총학생회는 긴급 성명을 발표하고 "현수막은 총학생회 홍보국에서 디자인했으며, 학생자치기구 활동을 지원하는 부서인 학생지원팀의 행정적 지원, 재정적 지원을 받은 것입니다"라고 해명했다. 총학생회의 자발적 행위라는 주장이다. 하지만 학교에서 현수막 비용을 지원받았다는 사실을 부인하지 않았다. 이 사건은 페이스북과 트위터 등을 통해 급속히 퍼졌고, 노사 갈등에 학생을 개입시킨 신라대는 네티즌에게 호된 비판을 받았다.

2012년 신라대지회 첫 농성에는 학생이 대체 인력으로 투입되는 일이 있었다. 농성으로 청소 업무가 마비되자 학교에서 학생을 알바로 고용해 청소시킨 것이다. 심지어 학교는 청소노동자에게 시급 4,580원 주었는데, 학생 알바에게는 시급 5,000원을 주었다. 조합원들은 학생들에게 항의했고 그다음 날 바로 교직원으로 교체되었다. 학생과 청소노동자를 갈라놓으려는 학교의 전략은 10년이 지났지만 반복되고 있었다.

총학생회는 네티즌의 호된 비판에 굴하지 않고 학습권 침해 중단을 위한 침묵 집회를 열었다. 총학생회 관계자와 신라대 학생 20여 명은 4월 29일부터 매주 목요일에 대학 본부 농성장 앞에서 집회를 이어갔다.

"학생들이 우리 집회를 반대하는 것은 한편으로 섭섭해요. 쾌적하게 공부하기 위해서는 청소가 필수인데 말이죠. 그래도 학생들 생각을 이해는 못하더라도 존중은 해야 한다고 생각해요. 총학생회장에게 집회 끝까지 하라고 했어요. 대학 구성원 모두 지금 사태가 불편하다면 총장님도 움직이지 않을까요?(정현실 지회장)"

신라대 구성원 중 청소노동자 농성을 지지하는 학생들도 있었다. 신라대 학생 4명은 '청소노동자를 지지하는 신라대 학생 모임'(이하 학생 모임)을 만들고 3월 24일 기자회견을 열었다. 학생 모임에서 3월 1일 개학 첫날부터 매일 청소노동자 해고 철회를 요구하는 서명운동을 벌였다. 학생 모임은 2주 만에 학생 1,005명의 서명을 받았다. 학생 모임은 1,005명의 서명이 담긴 용지를 신라대 총장에게 직접 전달하기 위해 면담을 요청했다. 면담은 성사되지 않았다. 하지만 학생 모임의 활동은 학내 여론을 움직이는 데 큰 힘이 되었다.

신라대 학생뿐만 아니라 외부에서도 3월 31일 '신라대 집단해고 철회와 직접고용 쟁취를 위한 청(소)년 학생 공동대책위원회'(이하 공대위)를 꾸리고 기자회견을 열었다. 공대위는 신라대 농성을 지지하는 부산·경남 10여 개 단체가 모인 연대체였다. 매주 화요일마다 사상터미널 앞에서 부산 시민을 상대로 신라대 문제를 알렸고, 5월 29일에는 서면 쥬디스태화 앞에서 '신라대 청소노동자 집단해고 철회 부산·경남 청소년 청년 학생 촛불문화제'를 열었다.

21세기 노학연대

1970년 11월 13일 근로기준법 보장을 외치며 분신한 전태일 열사는 생전에 대학생 친구 한 명 있었으면 좋겠다는 말을 자주 했다. 전태일은 청계 피복 공장을 다니며 노동자의 열악한 처우를 개선하기 위해 노력한 노동자였다. 부당한 대우에 맞서 근로기준법을 독학하며 노동자 권리를 쟁취하기 위해 노력했지만 늘 부족함을 느꼈다. 전태일은 대학생 친구 한 명만 있었다면 본인이 느끼는 한계를 넘어설 수 있을 것으로 생각했다. 하지만 분신하기 전까지 그에게 대학생 친구는 단 한 명도 없었다. 그의 죽음이 세상에 알려지자 대학생들은 전태일의 뜻을 기리며 노동자의 열악한 처우를 바꾸기 위해 노력했다.

그 후 학생운동가들에게 전태일의 죽음은 죄책감으로 남았다. 학생들은 개인의 성공을 위해 시대의 아픔을 눈감을 수 없었다. 노동 현장에 위장 취업해 노예처럼 사는 노동자의 현실을 바꾸기 위해 노력했다. 현장에서 소모임을 만들어 노동자를 계몽하고 투쟁을 조직했다. 끈질긴 노력 끝에 1987년 노동자대투쟁을 통해 열악한 노동자들의 현실이 세상에 알려지기 시작했다. 노학연대(노동자와 학생의 연대)의 결실로 노동자가 노동조합을 만들 수 있게 되었고 노예 같은 삶에서 조금이나마 벗어날 수 있었다.

1997년 IMF 외환위기로 한국 사회의 고용이 불안정해지고 비정규직이 양산되면서 새로운 노동문제가 발생했다. IMF 이후의 경제

위기로 대학 졸업장이 취업을 보장하지 못하면서, 대학생들은 세상의 문제보다 자신이 먹고살 문제에 집중했다. 자연스레 노학연대는 오래된 추억이 되었다.

그런데 2021년 신라대 농성 투쟁에 노학연대가 재현되었다. 물론 1980년대와는 사뭇 다른 방식이었다. 1980년대에는 학생운동가가 위장 취업해서 노동자를 계몽해 투사로 만들었다. 2021년에는 거꾸로 노동자가 청년 학생을 계몽했다. 부산·경남 청(소)년과 신라대 학생은 청소노동자 전원 해고에 분노해 농성장으로 모였다. 학생들이 올 때마다 조합원들은 분주했다. 신라대 투사들은 10년간의 투쟁 역사에 대해 일장 연설했다. 노동 현장에서 부당한 대우에 맞서는 법을 가르쳤고, 활동가로서 갖춰야 할 태도를 조언했다.

"학생 동지들, 바쁘신 와중에 연대하러 멀리서 와 주셔서 감사합니다. 동지들이 저희를 위해서 이곳에 연대를 왔지만, 농성 투쟁을 통해 동지들이 더 나은 활동가가 되는 길에 도움이 되고 싶습니다. 그러니 농성장 오면 혼자 멀뚱멀뚱 있지 마시고 내로라하는 우리 조합원들에게 투쟁 이야기를 들려 달라고 조르세요. 학생 동지들이 알려 달라는 것은 피곤한 상태라도 달려가서 알려줄 테니깐요(정현실 지회장)."

현장 조합원들은 학생들이 더 나은 활동가가 되기를 바랐다. 결국 농성 승리 뒤 10여 명의 청년이 부산일반노조 조합원으로 가입했다. 21세기의 노학연대는 1980년대와 같이 학생이 일방적으로 노동자를 계몽하지 않는다. 노동자가 학생을 학생이 노동자를 상호 계몽하며 함께 배우고 함께 투쟁한다.

후회

농성 투쟁이 장기화로 접어들었지만, 학내 반발은 좀처럼 사그라지지 않았다. 노동조합 현수막 훼손뿐만 아니라 인터넷을 통한 노조 투쟁 방식 비난이 흘러넘쳤다. 4월 초 학생 모임 학생들이 농성장에 할 말이 있다며 찾아왔다.

학생 모임 대표는 주변 친구들이 민주노총 투쟁 방식에 익숙하지 않다고 말했다. 특히 방송차를 이용한 소음으로 피로감을 많이 느끼고 있다고 했다. 자신들은 민주노총 투쟁 방식을 이해하지만, 주변 친구들을 설득하는 게 쉽지 않다고 토로했다. 그러면서 학내 방송차를 이용한 집회를 시험 기간에만 쉬면 안 되냐고 제안했다. 나와 노조위원장은 고충을 충분히 이해하지만, 학생 모임의 제안을 받아들일 수는 없다고 대답했다. 오히려 학생 모임에 총학생회의 노조 탄압에 대해 같은 학생으로서 강력하게 대응해 달라고 부탁했다.

당시 노조로서는 투쟁 방식을 달리하기가 쉽지 않았다. 노조가 대학 본부를 점거하고 언론에 문제를 알려도 학교는 꿈쩍하지 않았다. 하지만 방송차로 인해 학습권이 침해받는다는 총학생회를 비롯한 학생들의 주장에는 즉각 반응했다. 학교 관계자가 직접 찾아와 점심시간만이라도 방송차를 멈출 수 없냐고 간절히 부탁했다. 그만큼 방송차를 이용한 소음 투쟁이 학교에 타격을 주고 있었다. 노조에서는 학교가 타격을 받는 투쟁을 멈출 수는 없었다.

6월 16일 학교와 직접고용 합의서를 작성하고 농성장을 정리하는데 처음 보는 학생이 농성장에 찾아왔다. 학생은 노조 활동을 지지하면서 지금까지 지켜봤다며 자기 이야기를 잠시 들어 달라고 부탁했다.

"그동안 고생 많으셨습니다. 근데 한 가지 말씀드릴 게 있어서 이렇게 찾아왔어요. 농성 투쟁 동안 학생들과 마찰이 많았던 것 같아요. 학생들이 노조 현수막을 훼손하고 불로 태우는 행위는 분명 지나쳤던 것 같아요. 청소 이모들이 복직해 학생과 앞으로 어울리며 지내야 하는데 내심 걱정이 되더라고요. 이상한 공격을 받지 않을까 우려도 되고요. 그런 일은 없어야 하지만, 노조에서 학생을 설득하기 위한 노력을 조금 더 했으면 어땠을까 아쉬움이 남더라고요."

농성 마지막 날 만난 이 학생의 지적이 머릿속에 오래 남았다.

노사 합의 이후 학교는 모든 고소·고발을 취하하겠다고 약속했다. 하지만 총학생회가 노조 SNS 글에 대해 명예훼손으로 고소한 건은 취하되지 않았다. 농성 투쟁 과정에서 총학생회와 노조의 갈등이 심해 서로의 주장을 비판하는 글을 페이스북에 많이 올렸다. 그 와중에 학생회가 노조 SNS 게시물의 일부에 대해 부적절함을 지적하며 고소한 것이었다. 고소는 아직도 진행 중이다.

아까 말했듯이 농성 당시에는 방송차 투쟁을 멈출 수 없었다. 다만 시험 기간에 방송차 소음을 최소화하기 위해 음량을 줄였지만, 항의는 끊이지 않았다. 돌이켜 보면 학생들과 대화할 수 있는 자리를 만들기 위해 노조에서 노력이 부족했던 것은 사실이다. 만약 투쟁 과정에서 노조와 총학생회가 이 문제를 최소화할 수 있는 방법을 찾는 공청회 형식의 자리를 함께 만들어 다양한 의견을 수렴했으면 어땠을까? 1980년대 민주화 운동을 경험하지 못한 MZ세대에게 노조의 투쟁 방식은 생소했을 것이다. 책과 방송을 통해 봤을 뿐 실제 현실에서는 보지 못한 풍경이었을 테다. 그리고 노조는 노동법에 따라 합법적으로 대응했는데도 문제가 풀리지 않아 농성 투쟁한다는 사실을 학생들에게 충분히 전달하지 못했다. 이런 것들을 서로 솔직하게 이야기하고 방법을 찾아 나갔다면 학생들의 냉소가 덜하지 않았을까? 후회가 남는다.

신임 총장

2014년 농성 투쟁 당시 총장은 79일 동안 한 번도 조합원에게 얼굴을 드러내지 않았다. 더불어민주당 국회의원이 중재할 때만 나타났다. 하지만 2021년의 신임 총장은 달랐다. 전 총장과 달리 신임 총장의 위치는 학교 인터넷 자유게시판을 통해서 실시간으로 공개되었다. 노조가 대학 본부를 점거하자 총장은 중앙도서관으로 직무실을 옮겼다. 학생들은 총장의 일거수일투족을 쫓아 인증 사진을 자유게시판에 올렸다. 학교가 노조 투쟁으로 시끄러운 상황에서 총장이 문제를 해결하지 않고 도망 다니는 모습을 풍자한 것이다.

중앙도서관에 총장이 자주 출몰한다는 정보를 입수한 상황에서 마냥 대학 본부에 가만히 앉아 있을 수는 없었다. 총장의 새로운 직무실로 가서 항의 시위하자고 한 조합원이 제안했다.

"우리 그냥 세월아 네월아 하면서 대학 본부에 가만히 앉아 있을 수 없어요. 총장실 앞에 가서 우리 요구를 전달하는 행동이라도 해야 마음이 시원할 것 같아요. 우리는 이렇게 힘들게 투쟁하고 있는데 총장은 아무 일 없었던 것처럼 학교를 돌아다니는 모습은 정상이 아니잖아요? 우리가 생수 페트병 들고 총장 직무실 앞에서 항의 시위라도 하고 올게요."

3월 20일 농성 투쟁을 시작하고 한 달이 지났지만, 학교의 반응은 미미했다. 총학생회와 교수평의회를 통해서 우회적으로 노조 투쟁 방식을 비판하는 정도였다. 이런 상황에서 총장이 아무 일 없었다는 듯이 학교를 활보하고 다닌다는 것 자체가 화났다. 결국 농성장에 최소 인원을 남기고 모두 임시 총장 직무실로 향했다. 한 사람이 2개씩 페트병을 들고. 총장이 단번에 면담을 수락하지는 않을 거라 예상했다. 소란을 피워야 만남이 성사될 수 있다고 생각해 페트병을 챙긴 것이다.

예상대로 총장은 면담을 거부했다. 아무 성과 없이 돌아갈 수 없었다. 총장이 나올 때까지 페트병을 두드렸다. 2014년 농성 당시 지회장을 맡았던 조합원은 총장에게 편지를 전달하기 위해 총장 직무실 앞에서 투쟁을 벌인 경험이 있었다. 당시 조합원들은 편지 전달조차 학교에서 막는 바람에 무기한 연좌시위를 벌였다. 우리는 그때 기억을 되새기며 이번엔 직접 만날 때까지 자리를 뜨지 않겠다는 각오로

시위를 이어갔다. 총장은 못 이기는 척 임시 직무실을 나와 면담 날짜를 잡자고 제안했다. 그 뒤 총장은 대학 본부로 복귀해 면담을 준비했다.

3월 25일, 농성 투쟁 이후 처음으로 노조와 총장의 공식적인 1차 면담이 성사되었다. 기대가 컸다. 2014년과 달리 한 달 만에 총장과 면담하게 되었으니 사태 해결 또한 빨라질 것이라고 모두 기대했다.

3월 25일 오전 노조위원장과 정현실 지회장이 총장실로 들어갔다. 총장은 노조에서 요구하는 직접고용을 검토하고 있으며 전원 복직을 고민하고 있다고 말했다. 그러면서 만 65세에 정년퇴직한 인원에 대해서는 자연 감원 형태로 인원을 줄이는 방안을 노조에 제안했다. 마지막으로, 현재 농성하지 않는 한국노총 조합원을 어떻게 해야 할지 고민이라며 면담을 마무리했다. 농성 이후 첫 만남치고는 괜찮은 결과였다. 10년간 외쳤던 직접고용 문제를 학교에서 검토하기 시작했다는 말에 조합원들은 사태 해결이 눈앞이라며 기뻐했다. 그리고 농성하는 노동자들의 전원 복직을 생각하고 있다는 총장의 말에 조만간 농성장을 정리할 수도 있겠다는 기대를 품었다.

총장실 점거

그러나 기대는 곧 실망으로 바뀌었다. 3월 29일 총학생회 중재로 총장과 정현실 지회장, 총학생회장이 참석하는 2차 면담이 열렸다. 면담 자리에서 총장은 1차 면담 때 했던 말을 바꾸었다. 총장은 한국노총과 민주노총 조합원 가운데 최대 32명까지만 복직시킬 수 있다고 말했다. 1차 면담 이후 민주노총 조합원 전원 복직 소식이 전해지자 한국노총에서 학교와 접촉을 시도했다. 총장은 한국노총과 면담 후 민주노총 조합원만 복직시킬 수 없다고 생각했다. 그렇다고 전원 복직시킬 수는 없었기 때문에 애매하게 양대 노총 합해서 총 32명 복직이라는 안이 나왔다.

해고 전 신라대 청소노동자는 모두 51명이었다. 민주노총 36명(농성 전 4명이 집으로 돌아가서 농성 인원은 32명. 농성 중 4명이 이탈해 최종적으로 28명 복직), 한국노총 14명, 비노조 1명. 학교는 그중 약 60퍼센트 정도만 복직시키겠다는 속셈이었다. 나머지는 조용히 학교를 나가라는 말과 다름없었다. 만 65세 정년 또한 용역 업체를 통한 간접고용 시에만 적용할 수 있다고 말을 바꿨다. 직접고용하면 교직원과 같이 정년을 만 60세로 낮춰야 한다고 했다. 지회장은 총장의 바뀐 태도를 받아들일 수 없었다.

"1차 면담을 통해서 분명 총장님은 우리에게 민주노총 농성 투쟁하는 조합원 32명 모두 복직시키겠다고 했습니다. 근데 이제 와서 이렇게 말을 바꾸시면 우리 중에 몇 명을 우리 스스로 내치라는 말씀입니까? 결국 한국노총 문제를 학교에서 해결하지 못하니 노동자 간의 갈등 국면을 만들려는 꼼수로밖에 보이지 않습니다. 학교 제안을 받을 수 없습니다. 우리는 이대로 물러설 수 없습니다."

우리는 1차 면담에서 복직과 직접고용이 거론되어 2차 면담도 잘 될 것으로 생각했다. 그러나 만일의 사태를 대비해 2차 면담 직전에 작전을 짰다. 정현실 지회장의 복안은 이러했다.

"1차 면담 결과가 좋았다고 방심하면 안 됩니다. 2014년 투쟁을 돌아보면 학교는 언제라도 말을 바꿨습니다. 2차 면담에서 헛소리 픽픽하면 우리는 물러서지 않겠다는 태도를 보여야 합니다. 그래야 저들도 우리 농성을 위협적으로 느끼고 사태 해결을 위해 노력할 겁니다. 그래서 동지들, 제가 2차 면담 들어갈 때 총장실 주변에서 대기해 주세요. 제가 문자를 보내면 모두 총장실 안으로 들어와 주십시오."

지회장의 작전은 2차 면담에 실망스러운 결과가 나온다면 총장실을 점거하고 끝장 투쟁을 벌이자는 것이었다. 2014년 농성 투쟁 마지막 날 썼던 전략이다. 당시 더불어민주당 국회의원과 전 총장이 합의하지 못하면 총장을 학교에서 나가지 못하게 하기로 하고, 전국 시민사회 · 진보정당 활동가가 신라대에 모여 대학 본부와 학교 전체를 둘러싼 채 면담 결과를 기다렸다. 그때는 합의가 잘되어 총장실을 점거하지 않았지만, 이번에는 면담 결과가 좋지 않았다.

지회장은 조합원들에게 단체 문자메시지를 보내 총장실 안으로 전 조합원이 들어올 것을 요청했다. 총장실 주변에서 대기하고 있던 조합원 모두가 순식간에 총장실 안으로 모였다. 총장실 문을 걸어 잠그고 총장에게 항의했다. 조합원들은 총장의 바뀐 태도에 실망이 컸다. 총장이 1차 면담에서 한 약속을 지키겠다고 말할 때까지 총장실에서 나오지 않을 작정이었다. 실랑이 끝에 학교는 경찰에 신고했고, 경찰은 이렇게 계속하면 감금죄로 연행하겠다고 노조에 통보했다.

그날 하필 부산일반노조위원장이 다른 일정으로 신라대에 없었다. 조합원들은 끝까지 물러서지 않겠다고 하고, 경찰은 감금죄로 연행하겠다고 하니 나는 어떻게 해야 할지 판단이 서지 않았다. 문자메시지로 위원장에게 이 사태를 어떻게 해야 할지 모르겠다고 하니 이런 답장이 왔다.

"현재 조합원들 분노가 커서 총장실 점거를 풀고 나가자고 하면 아마 조직부장 욕먹을 거예요. 그렇다고 무턱대고 무리하게 투쟁해서 연행되어서도 안 되고요. 일단 총장실 문을 잠갔다면, 열고 항의를 좀 이어가세요. 그리고 적당한 시점에 상황을 정리해야 연행자가 발생하지 않을 것 같아요. 조직부장이 현장에 있으니 지회장과 상의해서 적당한 시점에 상황을 정리해서 우리가 지금까지 하던 대로 농성장 일정 차질 없이 진행해 주세요."

우선 위원장 말대로 정현실 지회장에게 총장실 문은 열자고 제안했다. 지회장도 내 의견에 동의해 문을 열고 점거 농성을 계속했다. 그러나 아무 성과 없이 점거 투쟁을 풀자고 하면 욕먹을 것 같았다. 뭐라도 총장이 약속하고 차후 면담을 기약하는 정도는 되어야 할 것 같았다.

당시 학교 대학 본부 ○○ 간부는 총장에게 농성 투쟁 대응에 관한 조언을 많이 하고 있었다. 총장은 직접고용을 고민하는데, 그 간부가 총장에게 용역 업체를 이용한 간접고용을 이야기한 정황이 포착되었다. 간부는 농성 투쟁 과정에서 사사건건 조합원들과 부딪치며 악역을 자임했다. 그 간부를 논의 과정에서 배제해야 사태 해결을 위한 대화가 원활하게 진행되지 않을까 싶었다.

신라대지회가 농성에 돌입하고 나서 사태 해결을 위해 대학 본부 간부들이 부서별로 노조와 접촉을 시도했다. 처음에는 혼란스러웠다. 총장과 사무처장의 말이 다르고 각 부서 팀장들의 말도 다를 때가 많았다. 서로 입을 맞춰 노조에 일관된 입장을 전하는 것 같지 않았다. 나중에 알고 보니 간부 및 부서 팀장들의 행동은 인사고과 점수를 잘 받기 위해서였다. 2021년 5월 1일 신라대는 사무처장과 대학 본부 팀장들을 대거 교체할 계획이었다. 이 새로운 인사 배치를 노리고 대학 본부 간부들이 청소노동자 문제를 해결해 공을 세우고 싶어했던 것이다. 그 노력이 노조에 도움이 될 때도 있었지만 해가 될 때도 많았다.

"총장님, 일단 ○○ 간부를 현재 문제와 관련해서 아주 배제할 것을 제안합니다. 총장님과 직접 소통하거나, 사무처장과 같이 현재 이 문제에 대해 직접 권한을 가진 사람과 우리는 교섭하길 원합니다."

다급한 상황이라 총장은 제안을 받아들였다. 그러면서 차후 3차 면담을 열겠다며 점거 농성을 풀어 달라고 요청했다. ○○ 간부는 그날 이후 농성 투쟁에 관해 입도 뻥긋할 수 없는 처지가 되었다. 총장의 말 바꾸기 문제가 해결되지 않았지만, 우리는 총장실 점거를 풀고 대학 본부 로비 농성장으로 돌아갔다.

농성장으로 복귀해 조합원들에게 현 상황을 설명하고 앞으로 투쟁 방향을 토론했다. 평화로운 투쟁 방식을 지속하는 것은 총장을 압박할 수 없다는 의견이 다수였다. 조금 더 총장을 압박할 필요가 있었다. 그날 이후 매일 아침 총장실 앞에서 페트병 두드리기 투쟁을 하기로 했다. 지난 점거 투쟁 이후 학교는 총장실 정문을 닫고 비상 통로로 관계자를 출입시키고 있었다. 총장이 밖으로 나오면 조합원들은 페트병을 두드리면서 졸졸 따라다니며 사태 해결을 촉구했다. 예상대로 총장실 앞 페트병 투쟁은 총장뿐만 아니라 대학 본부에서 일하는 직원 모두에게 타격을 줬다. 대학 간부는 불만을 터트리며 경찰에 신고했지만, 경찰은 노사가 우선 알아서 처리할 사안이라며 적극적으로 개입하지 않았다.

총장은 4월 1일에 열린 3차 면담을 통해 사태 해결에 걸리는 부분을 솔직히 시인했다. 총장은 학령인구 감소로 학교 재정이 어려워져 임원을 감축해야 하는 상황인데 민주노총 조합원만 전원 복직시키기는 어렵다고 말했다. 한국노총 조합원 문제를 민주노총에서 정리해 온다면 사태 해결이 가능하다고 말했다. 한국노총은 3월 1일 계약 만료 이후 농성 투쟁에 결합하지 않고 집으로 돌아갔다. 노조에서는 왜 집으로 돌아간 한국노총 사람들을 총장이 고민하는지 따졌다.

4월 12일 아침 그 진실이 밝혀진다.

어려운 숙제

4월 12일 농성장은 평소와 다름없이 오전 6시 30분에 하루를 시작했다. 일찍 일어난 조합원들은 삼삼오오 학교 곳곳을 산책했다. 한 조합원이 산책 도중에 검은색 조끼를 입고 투쟁하는 사람을 봤다며 어디서 이렇게 일찍 연대를 오는지 내게 물었다. 그날 아침 선전전을 함께하겠다는 사람은 없었다. 검은색 조끼라는 말에 금속노조에서 장기 투쟁에 지친 조합원들을 위해 깜짝 연대하러 온 게 아닌가 싶었다.

노조 활동에서 빠질 수 없는 게 단체 조끼다. 노조마다 색깔과 문구가 다르다. 부산일반노조는 빨간색 조끼 앞면에 '단결', 뒷면에 '노동자는 하나다', '부산지역일반노동조합'을 박았다. 보통 금속노조의 검은색 조끼에는 '단결', '투쟁'이라는 글자와 금속노조 로고가 박혀 있다. 등교 선전전을 하기 위해 가는 발걸음이 경쾌했다. 아침부터 신라대로 달려온 연대활동가의 정성에 만나기 전부터 마음이 설렜다.

그런데 학교 정문으로 내려가 보니 금속노조 조합원이 아니었다. 3월 1일 해고와 동시에 학교를 떠났던 한국노총 부산지역비정규직 일반노조 신라대지부 조합원이 손 팻말을 들고 시위하고 있었다. 손 팻말 내용은 다음과 같았다.

'신라대는 책임지고 노동자를 차별 말고 전원 직접고용하라!'

'신라대는 한노 노동자를 제외하는 어떤 합의도 반대한다. 공정하게 고용하라!'

'신라대는 말 없는 노동자가 더 무서운 걸 모르는가?'

'투쟁하지 않는다고 채용에 차별하는 행위를 즉각 중단하고 공정하게 생존권을 보장하라!'

한국노총 조합원들은 조직을 차별하지 말고 직접고용하라고 요구하고 있었다. 농성 투쟁에 들어가기 전 정현실 지회장은 한국노총 현장 대표에게 투쟁을 함께하자고 제안했다. 여러 차례 제안했지만, 한국노총은 투쟁하지 않겠다고 답했다. 현재 학교 사정에서 노조가 투쟁한다고 바뀌는 것이 없다는 반응이었다. 해고가 결정된 3월 1일 순순히 학교 결정을 따르겠다고 말했다. 하지만 알고 보니 학교와 비밀스러운 합의가 있었다.

나는 한국노총 조합원의 투쟁이 달갑지 않았다. 냉정하게 거절할 때는 언제고 농성 투쟁 50일이 지나 손 팻말을 들고 등장한 것이 야속했다. 만약 전원 해고 결정 직후부터 한국노총과 민주노총이 함께 투쟁했다면 농성 투쟁이 장기화할 일도 없었을 것이다.

하지만 한국노총 조합원에게 감정을 드러낼 수는 없었다. 많은 사람이 지켜보는데 노동자 간 갈등을 일으키면 사태 해결에 악영향을 줄 수 있었다. 노동자끼리 싸움은 학교가 제일 바라는 그림이다. 그래도 화가 나는 것은 어쩔 수 없었다.

조합원들은 등교 선전전 방송차를 운영하는 나에게 오늘은 더 "가열차게" 투쟁하자고 제안했다. 방송차 음량도 높이고 우리가 지금까지 연습한 몸짓도 보여주자고 했다.

"오늘 한노(한국노총) 사람들 투쟁에 나선 것 보니 속이 터지는데 하소연할 데가 없네요. 간부들은 한노 조합원에게 괜히 시비 걸지 말라고 하니 열 받는 감정 어디다 풀어야 할지 모르겠어요. 방송차 볼륨이나 더 빵빵하게 틀어 주세요. 우리 오늘 보통 때보다 더 가열차게 투쟁할 테니깐요. 어휴."

다행히 한국노총과 함께했던 첫 투쟁은 별 탈 없이 끝났다. 정현실 지회장은 한국노총이 다시 학교에 등장한 이상 가만히 둘 수 없다며 따라가 보자고 제안했다.

"우리가 2014년에 한국노총 사람들에게 당한 게 있어요. 이번에도 무슨 꿍꿍이가 있는 것 같은데 시비를 걸진 않을 테니 저랑 같이 오늘 하루 좀 따라다녀 봅시다."

그날 종일 한국노총 조합원을 따라다녔다. 한국노총은 학교 게시판들에 자신들의 성명서를 붙였다. 오랜 침묵 끝에 투쟁을 시작한 한국노총의 입장이 궁금해 얼른 사진을 찍어 단톡방에 올렸다.

"학교 측과의 면담 시 향후 학교 상황이 나아지면 반드시 기존 인원들에 대해 재고용을 보장하겠다는 학교 측의 약속을 믿고 그날만을 기다리며 우리의 삶의 터전인 신라대의 발전과 번영을 간곡히 기원하며 지내왔다."

학교는 1월 25일 우리와 면담 때 학교 형편이 어려워 청소노동자 고용이 어렵다고 말했다. 계약 만료는 불가피하다는 태도였다. 하지만 한국노총에는 상황이 나아지면 다시 재고용하겠다고 약속했다. 성명서를 보고 조합원들은 화를 참을 수 없었다. 너도나도 지금 당장 총장에게 달려가 따지고 싶은 마음이었다. 하지만 정현실 지회장이 조합원들을 진정시켰다.

"동지들, 나도 정말 화가 납니다. 이건 분명히 민주노조 탄압입니다. 학교에 고분고분 말 잘 듣는 노조는 다시 재고용하고 민주노총 노동자들은 나가라고 했으니 말입니다. 학교가 이런 식으로 노동자 간의 이간질을 했다는 것이 화가 납니다. 화가 나더라도 분노를 있는 그대로 표현하지는 맙시다. 언론과 시민사회 활동가에게 노동자 이간시키는 학교의 만행을 널리 알립시다."

그날 이후 나는 집회와 선전전 때마다 '민주노조 탄압'이라는 말을 빼먹지 않았다. 학교가 노동자들을 이간질하며 사태 해결에 손 놓고 있다고 학생들에게 알렸다. 그리고 늦게라도 투쟁에 나선 한국노총 조합원에게 끝까지 투쟁해서 반드시 함께 복직하자고 말했다.

한국노총 투쟁을 존중하는 말을 하자 조합원 몇몇이 나에게 찾아와서 불만을 터트렸다. 학교와 뒤에서 몰래 민주노총 조합원을 배제하고 협상했던 조직을 굳이 존중할 필요가 있는지 따졌다. 그럴 때마다 나는 이렇게 대답했다.

"노조 가입 후 10년 동안 함께 투쟁하지 않고 고작 몇 개월 함께 투쟁한 제가 동지들 감정을 이해한다고 말하는 건 거짓말 같습니다. 그러나 우리 노조 조끼 등에 박혀 있는 '노동자는 하나다'라는 말을 실천할 때가 지금이라고 생각해요. 한국노총 행보는 분명 잘못되었지만, 그들 또한 결국에는 버려져 복직 투쟁하고 있지 않습니까? 함께 웃으며 투쟁하지 못하더라도 노동자 간 갈등을 학생들에게 보여줄 필요는 없어요. 노동자를 이간질하는 건 학교라는 사실을 분명하게 보여주기 위해서라도 필요한 이야기라 생각해요."

지회장도 조합원들에게 한국노총과 괜한 마찰 만들지 말고 우리 농성 투쟁을 꾸준히 이어가자고 당부했다.

"학교는 민주노총과 한국노총 조합원들끼리 싸우길 원했을 거예요. 왜냐면 둘이 앙숙이고 서로 보기만 해도 헐뜯을 거라는 걸 자기들도 아니깐요. 하지만 우리 목표는 한국노총과 싸우는 게 아니잖아요.

그들도 투쟁하라고 해요. 차라리 뒤에서 총장과 이야기하는 것보다 같이 싸우면서 학교에 전원 해고 철회와 직접고용 요구하는 게 낫지요. 동지들, 분노는 총장에게 표현하는 것으로 대신해요. 투쟁!"

악연

2014년 5월 16일, 79일 동안의 농성 투쟁 끝에 신라대 청소노동자는 현장으로 복귀했다. 현장 복귀 직후 노조는 용역 업체와 단체협약을 맺고 새롭게 출발했다. 직접고용은 쟁취하지 못했지만, 오랜 투쟁 끝에 고용을 보장받아 앞으로 학교는 평화로울 거라 예상했다.

2014년 농성 투쟁 중 합의를 앞두고 7명의 조합원이 투쟁을 포기하고 집으로 돌아갔다. 현장 간부들은 떠나는 조합원들에게 조금만 더 해 보자고 이야기했지만, 각자의 사정을 어떻게 할 수는 없었다.

5월 13일 더불어민주당 을지로위원회 중재로 학교는 합의했고 이탈자 7명을 뺀 전원이 복직했다. 그리고 5월 16일 용역 업체와 단체협약을 통해 이탈자 7명과 부족 인원 3명을 더해 10명을 노조 추천으로 신규 채용하기로 합의했다. 그 결과 5월 말, 부산일반노조 추천으로 9명의 청소노동자가 새로 들어왔다.

신규 노동자 9명이 일을 시작하자 이탈자 7명은 한국노총에 가입하고 다시 일하게 해 달라며 학교에서 시위를 시작했다. 결국 용역 업체는 6월 19일 농성에서 이탈한 7명을 다시 채용할 수밖에 없다며 재고용을 공식화했다. 만약 용역 업체가 추가로 인원을 재고용하는 방식이었다면 양대 노총의 관계가 이렇게 냉랭해지지 않았을 것이다. 용역 업체는 한국노총 7명을 재고용했으니 신규로 채용한 민주노총 9명은 무효라고 주장했다. 민주노총 소속 노동자 9명은 6개월간 임금도 받지 못하고 버티며 항의했다.

"한국노총의 '한국'이라는 단어만 들어도 이가 갈려요. 2014년 용역 업체와 학교가 한국노총 끌어들여서 우리는 낙동강 오리알이 돼버렸죠. 그 당시 그냥 포기하고 집에 갈 수도 있었어요. 6개월간 임금도 못 받고 신라대에서 일할 줄 누가 알았겠어요. 한국노총이 하는 짓이 고약해서 끝까지 싸워서 신라대에서 일해야겠다는 생각이 들더라고요. 우리는 6개월 동안 투명 인간처럼 신라대에서 버텨서 겨우 일하게 되었어요. 2021년 농성 중에 갑자기 한국노총이 들어올 때 또다시 2014년과 같은 일이 생기지 않을까 솔직히 두려웠어요."

부산일반노조는 청소노동자 9명에 대해 지방노동위원회 부당해고 구제신청을 했다. 질긴 투쟁 끝에 노동위원회는 사측에 '복직과 6개월간 임금 지급'을 명령했다. 하지만 용역 업체는 신규 채용 9명의 6개월간 임금은 보상하지 않고 폐업해 버렸다. 노동자들은 체당금 제도를 통해서 일부 금액만 피해를 보상받았을 뿐이다.

'노동자는 하나'라는 말처럼 원칙상 한국노총과 함께 공동으로 학교에 맞서야 한다. 하지만 복수노조의 갈등은 치유할 수 없는 상처로 남았다. 2021년 투쟁은 민주노총은 민주노총대로 한국노총은 한국노총대로 투쟁을 이어갈 수밖에 없었다.

복수노조 10년

1997년 노동조합및노동관계조정법(노조법) 제정으로 복수노조 금지 조항이 삭제되었다. 복수노조를 만들 수 있게 된 것이다. 하지만 부칙으로 복수노조 설립을 5년간 금지했다. 그 결과 김대중·노무현 정부를 거치면서 복수노조는 제도화되지 못하다가 이명박 정부 들어 제도화된다. 2010년 노동조합및노동관계조정법이 개정되어 2011년 7월부터 복수노조 설립이 허용된다. 복수노조의 취지는 자유롭게 노조 활동할 권리를 보장하는 것이다. 노동계에서 꾸준히 요구했고, 국제노동기구(ILO)도 한국 정부에 권고했다.

복수노조 허용 이후 노조 수가 늘어났다. 2011년 8,903개이던 노조가 2015년 1만 819개로 늘어났다. 조합원 또한 5년 사이에 132만 명에서 136만 명으로 늘어났다. 하지만 한국노동연구원의 〈기업별 복수노조와 단체교섭〉 보고서에 따르면, 노조 조직률은 2005년 26퍼센트에서 2015년 21.8퍼센트로 오히려 떨어졌다.[5]

흔히 복수노조는 민주노조를 탄압하는 전략으로 활용된다. 민주노총 부산일반노조에는 신라대지회 이외에도 A대 청소노동자들이 가입해 활동하고 있다. A대에는 민주노총과 한국노총 2개의 복수노조가 있다. 조합원 숫자가 비슷해 조합원 확보 경쟁이 치열하다. 용역업체와 학교는 자기 손에 피 묻히지 않고 관리소장을 통해 민주노총을 탄압하고 한국노총에 특혜를 주었다. 관리소장은 신규 노동자에게 한국노총 가입을 강제하거나, 민주노총 조합원에게만 갑질하는 등 차별적으로 행동했다. 이에 민주노총 조합원들이 '갑질 소장은 물러가라'며 소장실 앞에서 항의 시위를 벌였다. 결국 관리소장은 물러났다. 물러난 관리소장은 민주노총 조합원들을 업무방해죄로 고소했다. 학교를 떠난 소장은 용역 업체에서 해고되지 않았다. 오히려 업체에서 박수받고 더 나은 자리에 앉았을 것이다. 그렇지 않다면 해고된 사람이 민주노총 조합원을 상대로 고소할 일은 없지 않겠는가?

원청과 용역 업체가 기를 쓰고 복수노조를 설립해 어용노조를 다수노조로 만들려는 이유가 있다. 복수노조 허용 이후 교섭 창구 단일화 절차가 제도화되었다. 교섭 창구 단일화 제도는 한 사업장에 복수노조가 있을 시 과반수노조에 단체교섭 협약체결권, 쟁의조정 쟁의행위 주체권 등을 준다. 과반수노조가 아니면 회사가 교섭할 의무가 없다는 말과 다름없다. 물론 교섭 창구 단일화 절차가 시작되어 소수노조가 그 절차에 참가하면 대표노조가 교섭한 내용이 소수노조에도 적용된다. 그리고 노조와 사용자에게 교섭 창구 단일화 절차에 참여

한 노동조합 또는 그 조합원을 합리적 이유 없이 차별해서는 안 된다는 공정대표 의무 제도를 두고 있다

사용자나 교섭대표노조가 공정대표 의무를 위반하면 그 행위가 있은 날부터 3개월 이내에 노동위원회에 시정을 요청할 수 있다. 실제로 노동위원회에 제기된 공정대표 의무 위반 사건은 소수노조 의견 미수렴, 교섭 과정 미설명, 의제 미채택, 의제 불성실 교섭 등이 있다. 즉 소수노조를 합리적 이유 없이 의도적으로 배제하는 것은 공정대표 의무 위반으로 볼 수 있다. 다만 교섭대표노조는 교섭요구안 의제를 선택하면서 의제의 중요성 판단, 교섭력 집중과 목표 달성을 위한 전략 선택 등에 관해 광범위한 재량권이 인정된다는 점을 이유로 소수노조의 교섭요구안을 배제한 것이 공정대표 의무 위반이 아니라고 판결한 사례가 있다(서울행정법원 2013. 7. 11. 선고 2012구합39292 판결[공정대표의무위반시정재심판정취소]). 교섭대표노조의 재량권을 인정하는 셈이다.[6]

예를 들어, 노동자에게 최저임금만 지급하는 복수노조 현장에 민주노총이 낮은 임금 문제를 지적하며 식대와 교통비를 요구했다고 하자. 민주노총이 소수노조이고 다른 노조가 교섭대표노조라면 소수노조의 요구를 관철해야 할 의무가 없다. 교섭대표노조는 소수노조의 의견을 청취하기 위한 적극적인 노력만 하면 된다. 회사 재정이 어려워 대표노조가 임금 인상 없이 넘어가겠다 하면 그 해는 인상 없이 지나간다. 소수노조 의견을 듣고 요구안을 반영하지 않아도 공정대

표 의무 위반으로 노동위원회에 인정받기 어려운 현실이다. 복수노조의 교섭 창구 단일화 절차는 소수노조의 교섭력을 무력화해 교섭대표노조에 절대적 교섭권을 쥐여 주고 있다.[7]

부산일반노조에도 교섭권이 없는 소수노조 현장이 꽤 있다. 교섭대표권을 쥐고 있는 현장 활동은 활발하다. 매년 임금 협약을 하고 2년에 한 번씩 단체협약을 개정하기 위해 사측과 치열하게 투쟁한다. 하지만 소수노조 현장은 반대다. 교섭권 없이 새로운 쟁점을 만들기 어렵다 보니 노조 활동이 위축된다. 현장 활동 대신 외부 투쟁 사업장 연대 활동을 제안하지만, 참가자가 많지 않다. 소속 현장에서 활동이 없는 상황에서 타 사업장 연대는 의미가 크지 않기 때문이다.

현재 복수노조 제도는 누구나 노동조합을 자유롭게 설립할 권리를 현실화했다. 하지만 그 자유는 권리를 제대로 외칠 수 없는 자유에 그친다. 누구나 노동조합을 설립할 수 있지만, 노조 활동할 수 있는 조건을 보장받지 못하고 있다. 오히려 사측은 민주노조를 탄압하기 위해 복수노조를 활용하고 있다.[8]

신라대는 2012년 민주노총 단독 사업장으로 시작했다. 하지만 2014년 용역 업체의 농간으로 농성에서 이탈한 7인이 한국노총에 가입해 현장에 복귀하면서 복수노조 사업장이 되었다. 물론 2021년 진행한 교섭 창구 단일화 절차에 민주노총이 교섭대표노조라서 교섭안과 관련해 한국노총과 갈등은 없었다. 한국노총은 창구 단일화 절차에 참여하지 않았고, 집단해고를 철회하라는 교섭안에 어떤 의견도 내지 않았다. 하지만 2014년 결정적인 순간 복수노조가 발목을 잡았기 때문에 2021년 또한 안심할 수 없었다. 4월 14일 한국노총의 등장으로 농성 투쟁이 미궁에 빠지지 않을까 걱정되었다. 다행히 2021년은 달랐다. 민주노총과 한국노총이 하나로 뭉쳐 투쟁하진 못했지만, 끝까지 투쟁해서 모두 복직했다.

하지만 학내 노동자가 단결해 투쟁하지 못한 것은 한계점으로 남는다. 신라대에는 청소노동자 이외에도 다른 직군의 민주노총 소속 노조가 있다. 투쟁 시작 전에 현장 대표를 찾아가 도움을 요청했다. 현장 대표는 서로 부딪치는 일이 없다면 흔쾌히 연대하겠다고 약속했다. 하지만 농성 투쟁 과정에서 연대는 이루어지지 않았다. 오히려 투쟁 중에 발생한 소음으로 실랑이를 벌이곤 했다. 학교 업무에 타격을 줘 총장을 압박해야 하는 우리 입장과 학내 업무를 수행해야 하는 노동자 사이의 이해관계가 충돌했다.

지방대학 위기라는 틀에서 봤을 때 청소노동자 전원 해고는 대학에서 일하는 모든 노동자의 문제다. 많은 지방대학이 재정 위기를 겪다 결국 폐교된 사례가 부지기수다. 신라대도 예외가 아니다. 폐교되면 대학의 모든 노동자는 정리해고 절차에 돌입한다. 꼭 폐교되지 않더라도 학교 재정 위기가 심각해지면 노동자에게 허리띠를 졸라매라고 압박할 수 있다. 그러므로 각자의 이해관계를 내려놓고 지방대 위기를 해결하라고 학교를 상대로 함께 싸워야 했다. 농성 투쟁이 정리되고 투쟁 과정에서 생긴 오해를 풀기 위해 민주노총 소속 ○○ 노조 현장 대표를 다시 찾아갔지만 만나지 못했다. 신라대에서 일하는 모든 노동자의 단결은 풀지 못한 숙제로 남았다.

위기의 지방대

3월 15일 아침, 여느 날과 다름없이 농성장은 분주하게 굴러갔다. 아침 일찍 일어나 대충 세수한 뒤 선전전을 마치고 올라오는데 도서관 앞에 학생 여럿이 모여 있었다. 아침부터 학생회에서 재밌는 행사를 하는가 보다. 호기심에 가까이 가 보니 창조공연예술학부 학생들이 시위하고 있었다.

“창조공연 폐과 반대! 두둥!”

신라대는 2021학년도에 52개 학과 학부 중 신입생 충원율이 70퍼센트에 미치지 못하는 10곳을 통폐합하기로 했다. 그중 음악과 무용 전공이 속한 창조공연예술학부는 다른 학과와 통폐합이 어렵다며 폐과를 결정했다. 학교는 음악 전공 분야의 경우 2019년 정원을 모두 모집했으나 2020년 76.7퍼센트로 떨어진 데 이어 2021년 60퍼센트에 그쳤다며 폐과의 불가피성을 설명했다.

그러나 학생들은 폐과를 받아들일 수 없었다. 음악 전공 학생회장은 2021년 수시와 정시 모집 인원이 정원을 초과한 35명으로 등록률 100퍼센트를 넘겼다고 말했다. 학과에서는 2020년 1월 대중음악 위주의 'K-POP 음악 전공'으로 학과를 개편하겠다는 계획서를 제출했지만, 대학 측은 검토조차 하지 않았다.[9] 그러면서 항공교통물류학과와 인공지능학과를 신설했다. 신라대는 취업이 잘되는 실용적인 학과는 지원하거나 신설하고, 인문사회 · 예체능 등 경쟁력이 낮은 학과는 통폐합 및 폐과를 추진했다.

대학내일연구소 '2010~2015년 전국대학학과통폐합 현황' 정보공개 청구에 따르면, 2010~2015년 전국 대학의 전공별 단순 폐과 사례는 270건이었으며 그중 인문 · 사회 계열이 전체의 절반인 135건을 차지했다. 자연계 79건, 예체능계 56건으로 뒤를 따랐다. 신라대뿐만 아니라 전국의 대학들이 상대적으로 취업률이 떨어지는 학과를 없애고 있다.[10]

폐과 결정에 아침부터 창조공연예술학부 학생들이 도서관 앞에 모여 시위를 시작했다. 당시 총장은 청소노동자가 대학 본부를 점거하는 바람에 도서관으로 직무실을 옮긴 상태였다. 그래서 학생들이 대학 본부가 아닌 도서관 앞에서 시위하고 있던 것이다.

도서관에서 총장을 만나지 못한 창조공연예술학부 학생들이 다음

날 청소노동자가 농성하는 대학 본부로 찾아왔다. 폐과를 결정하고도 총장이 나타나지 않자 총장실이 있는 대학 본부로 모인 것이다. 학생들은 음악 전공자답게 여러 악기를 시위 도구로 사용했다. 노조와 사뭇 달랐다. 전공을 잘 살린 시위 방식이 신선했다. 학생들은 악기 연주와 함께 박자에 맞춰 구호를 외쳤다. 하지만 10년 넘는 노조 활동으로 집회와 시위에 익숙한 한 조합원은 학생들의 시위가 왠지 팥소 빠진 찐빵 같다고 말했다.

"학생들 시위가 뭔가 심심해요. 구호만 외치는데 구호 소리도 작아서 도통 다른 사람들은 무슨 소리인지 알 수 없어요. 조직부장이 학생들에게 앰프를 빌려줘서 크게 구호도 외치고 몇몇은 발언도 해 보라고 제안하는 게 어때요?"

학생대표에게 가서 앰프를 빌려줄 테니 마이크를 사용해 이야기하라고 제안했다. 학생대표는 시위할 때 앰프와 마이크가 필요할 줄은 생각하지도 못했다며 잠시 쓰고 돌려주겠다고 말했다. 집회가 제대로 꼴을 갖추자 학생들은 기다렸다는 듯이 너도나도 불만을 터뜨렸다.

"이번에 신입생입니다. 신라대는 신입생들 받아 놓고 개학하자마자 폐과하겠다고 합니다. 저는 영문도 모른 채, 등록금 내고 대학 생활을 기대하고 있는데 폐과하라니 용납할 수 없습니다. 우리 과 신입생 등록률도 100퍼센트 넘는데 왜 폐과가 되어야 하는지 이해가 되지 않습니다. 총장님이 나와서 직접 문제 해결하십시오."

학생 말을 들으니 이번 사태가 생각보다 심각했다. 학교 재정 위기로 청소노동자를 전원 해고하는 것에 더해 학생에게도 책임을 지우고 있었다. 문득 학생 투쟁이 청소노동자 투쟁과 함께해야 할 것 같았다. 창조공연예술학부 대표자로 보이는 학생에게 다가가 따로 자리를 마련해 대책을 함께 논의하자고 제안했다. 하지만 화답이 없었다. 창조공연예술학부는 결국 폐과되었다.

지방대 위기는 심각한 수준

한국대학교육협의회와 한국전문대학교육협의회에 따르면 2021학년도 일반대학과 전문대학의 입시 미충원 인원은 4만 명으로 지난해의 2배가 넘는다. 종로학원하늘교육이 발표한 2021학년도 추가모집 지원 현황을 보면, 새 학기를 코앞에 둔 2월 말까지 정시에 신입생을 채우지 못한 167개 대학이 2만 6,000여 명을 추가로 모집했다. 그중 91퍼센트가 지방대에서 모집하는 인원이었다. 7차에 걸쳐 추가모집에 나선 대학도 있었지만 77개 대학은 정원 미달로 학기를 시작했다.[11]

대학교육연구소가 2020년 발표한 보고서 〈대학 위기 극복을 위한 지방대학 육성 방안〉에서는 지방대 220개교 중 2024년 신입생 충원

율 95퍼센트를 넘길 곳은 단 한 군데도 없을 것으로 추산했다. 지방대 3곳 중 1개교는 신입생을 70퍼센트도 못 채울 것으로 예측했다. 심지어 지방대 10곳 중 1곳은 신입생을 절반도 채우지 못할 수 있다고 우려했다. 반면 수도권 대학은 7곳을 제외한 119개교(94.4퍼센트)가 70퍼센트 이상을 충원할 것으로 예측했다.[12]

부산지역 대학의 상황도 좋지 않다. 2019년 14개 4년제 대학 가운데 정원 100퍼센트를 채운 곳은 6군데였으나, 2020년은 4군데로 줄었다. 2021년에는 단 한 곳도 없었다. 2021년 신라대 또한 1년 학비면제와 전과 100퍼센트 보장, 토익 수강비와 도서비 지원 등 250만 원어치에 달하는 장학 패키지 제공을 내세웠지만, 2020년에 비해 신입생 수가 대폭 줄었다.

〈신라대학교 2020~2021학년도 신입생 최종 등록 결과 보고〉를 보면, 등록률이 99.3퍼센트로 모집인원 2,284명 중 2,007명이 등록했다. 하지만 2021년도에는 모집인원 2,325명 중 1,811명, 87.9퍼센트가 등록했다. 2020년 미충원 인원이 250명에서 2021년 442명으로 대폭 늘어났다.[13] 학령인구 감소로 학생 수가 줄어 등록금에 의존하는 사립대학 재정이 어렵다는 말은 거짓이 아니었다.

5월 10일 민주노총 부산본부와 대학노조 등이 '지방대학 붕괴 위기, 이제 정부가 답할 차례입니다!'라는 요구를 걸고 부산시청 앞에서 기자회견을 열었다. 우리 노조가 주최하지 않았지만, 조합원들과 함께 기자회견에 참석했다. 지방대학 재정 위기로 전원 해고당한 처지였으므로 빠질 수 없었다.

기자회견에서 대학노조는 지난 10년 전부터 학령인구가 감소하는 상황을 보여주는 자료를 공개했다. 또한 지방대 위기로 지난 10년 사이 부산지역 대학들에서 100여 개 학과가 사라졌다는 사실도 공개했다. 대학노조는 정부의 대학에 대한 재정 지원이 미약한 상황에서 학령인구와 입학 학생 수 감소로 등록금이 줄어 대학 재정이 타격을 입었다고 밝혔다.

"향후 20~30년 이상 인구 감소에 따른 대학의 구조조정은 지속될 수밖에 없습니다. 폐교로만 내모는 대학 구조조정은 지역에 미치는 부작용이 매우 크므로 지양해야 합니다. 자생력이 약한 대학에 대해서는 정부가 재정 지원을 통해 인근 대학과의 통합을 유인하고, 이를 통해 대학과 지역, 교육을 살리는 정책 방향으로 전환해야 합니다. 정부는 지방대 위기를 손 놓고 불구경하듯 지켜볼 것이 아니라 적극적으로 대안을 고민해야 합니다. 그래야 학내에 있는 교직원, 노동자, 학생 등이 더 이상 피해를 보지 않을 겁니다."

기자회견은 대학노조에서 준비했지만, 이목은 빨간 조끼를 입은 신라대지회 조합원들이 끌었다. 방송국 기자는 정현실 지회장에게 인터뷰를 요청했다. 지방대 위기로 피해를 온몸으로 느끼고 있는 당사자의 이야기를 꼭 넣고 싶다며 간곡히 부탁했다. 지회장은 간단명

료하게 말했다.

"여러 가지 변수가 있지 않습니까? 학교 재정 운영하실 때 말입니다. 그런데 왜 유독 우리 청소노동자인지 모르겠어요. 비정규직이기 때문에 자르기 좋은 게 저희 아닙니까? 학령인구 감소로 인한 지방대 위기의 책임을 청소노동자에게 지라는 것은 부조리하다고 생각합니다."

광주의 동강대는 2020년 6월 대학 재정 위기로 간호학과를 제외한 모든 학과 조교 20여 명을 해고했다. 각종 행정 업무를 맡는 조교가 없으니 그 피해는 학생들에게 돌아갔다. 신라대와 똑같았다. 청소노동자가 해고되면 더러운 학교에서 공부해야 하는 것은 학생이다. 지방대 위기 책임을 가장 약한 비정규직 노동자에게 돌리면 그 피해는 결국 학생이 입는다.

그동안 지방대는 학령인구 감소에 따른 재정 악화를 예산 절감과 인력 감축으로 대응해 왔다. 인력 감축은 행정직원과 비정규직 노동자 등에 집중됐다. 전임교원 감축은 대학평가에서 감점 요인이기 때문이다. 이미 지방대 행정직원들 사이에서 겸직은 흔한 사례가 되었다. 한 사람이 3개 부서 업무를 맡는 사례도 있다.[14]

신라대 청소노동자 전원 해고는 지방대 위기의 예고편에 불과하다. 대학교육연구소의 연구보고서 〈대학 구조조정 현재와 미래〉에 따르면 입학 가능 인원(입학자원)은 2021년 약 43만 명에서 2040년

28만 명으로 급감하는 것으로 나타났다. 이는 수도권 대학과 지방 국립대 입학정원이 약 26만 명이란 점을 고려하면 지방 사립대 전체가 몰락할 수 있음을 보여주는 수치다.[15] '지방대는 벚꽃 피는 순서대로 망한다'라는 말처럼 이미 폐교가 진행 중이다. 2000년대 이후 문을 닫은 대학 18곳 중 지방대가 무려 17곳에 달한다.

폐교되면 정규직인 교직원조차 해고를 피하지 못한다. 하지만 사립학교 교직원은 사립학교 연금법 혜택을 받는 노동자로서 고용보험 등 사회보장 적용에서 제외된다. 지난 10년간 수천 명의 사립학교 교직원이 임금체불로 거리에 나앉고 있지만 정부 정책 지원은 전혀 없는 것이 현실이다.

지방대 위기는 지역 경제와도 밀접하게 연결돼 있다. 규모가 작은 도시일수록 대학이 지역에 미치는 영향이 크다. 군 단위 지역의 경우, 대학 한 곳이 지역 소득 · 고용의 9퍼센트를 차지한다는 연구 결과도 있다. 강원도 강릉시 관내 대학생의 소비 지출 규모는 연간 1,600억 원이다. 시 전체 예산 10퍼센트를 넘는 규모다. 강릉시 전체 인구에서 대학생이 차지하는 비중은 전국 평균의 2.5배가 넘는다. 실제로 지난 2018년 한국은행 보고서 〈지역대학의 위기와 지역경제의 활성화〉에 따르면, 최근 5년간 강릉지역 대학생 3,600명이 감소하면서 연간 소비 지출 규모가 278억 원 줄었다. 대학이 사라진 도시의 장래는 어둡다. 전북 남원은 2018년 서남대 폐교 이후 20대를 중심으로 인구

유출이 가속화됐다. 2017년 8만 3,500명이었던 인구는 2020년 기준 2,500명 가까이 감소했고, 지역경제는 침체에 빠졌다. 지역경제가 나빠지면 지역 인재가 수도권으로 더 빠져나가면서 격차는 더 벌어진다. 남아 있는 지방대학의 경쟁력도 떨어지면서 끝내 폐교 절차를 밟는 악순환이 계속된다.[16]

지방대 위기에 대한 정부 정책은 현실을 반영하지 못하고 있다. 2014년 지방대학및지역균형인재육성에관한법률(이하 지방대육성법)이 제정되었지만, 지방대 위기는 더 심각해졌다. 지방대육성법은 지방대학에 대한 국가와 지자체 지원을 임의적인 선택사항으로 규정한다. 의무가 아니다 보니 지방대 위기에 대한 지원은 방치되었다. 그리고 2019년 기준으로 대학 재정 지원 현황을 분석해 보면, 학자금 지원과 국공립대학 경상비 지원을 제외한 '일반지원' 부문에서 비수도권 대학의 지원액은 수도권 대학의 절반 수준이었다. 교육의 기회를 공정하게 배분해야 할 정부는 오히려 자원을 수도권에 몰아주고 있다.[17]

함께 논의하고 대안을 찾아야

농성 투쟁이 길어지면서, 학령인구 감소로 지방대 형편이 어려워져 허리띠를 졸라매야 한다는 사실을 알게 되었다. 그런데도 학교가 나서서 학교 구성원들에게 상의하지 않은 것이 이해되지 않는다고 조합원들은 입을 모았다. 학교에서는 청소노동자 전원 해고를 일방적으로 결정하고 이를 통보했다. 직접 통보하지도 않았다. 1월 초 교수와 교직원을 통해 흘러온 이야기를 듣고 지회장이 상황을 감지했다. 내용을 자세히 알기 위해 노조에서 총장 면담을 신청했지만, 학교는 회피했다. 우리는 직접 총장실에 찾아가서야 해고 사실을 정확히 알게 되었다. 학교는 용역 업체 소속인 간접고용 비정규직 청소노동자를 학교 구성원으로 인정하지 않았다. 조합원들은 "씹다 버린 껌처럼 10년 넘게 일한 청소노동자를 하루아침에 길거리에 내동댕이쳤다"고 말했다. 만약 학교에서 위기 극복을 위해 비상대책위원회를 꾸려 함께 논의하자고 제안했다면, 청소노동자 또한 극한 농성 투쟁을 선택하지 않았을지 모른다.

"일마 라팔루 전 말뫼(스웨덴 도시) 시장은 전환을 시도하려면 시민 중 누구도 '이 의사결정에서 나는 배제됐다'라고 느끼지 않도록 하는 것이 가장 중요하다고 했다. 그래야만 수많은 법률과 조례를 바꾸고, 복잡한 이해관계를 조정하면서 가야 하는 '전환'의 여정이 시작될 수 있기 때문이다. (우리나라는) 지역민들의 공동체를 위한 토론 및 결정 과정에 참여한 경험이 거의 없다는 점이 근본적인 문제다. 당장 나는 손해를 볼 수 있더라도 장기적으로 우리 지역이 지속 가능성을 얻고 후손들이 오래 그 수혜를 누릴 것이라는 생각으로 의사결정에 참여하는 사람이 많아야만 전환의 시도를 할 수 있을 것이다."[18]

현재 교육기본법은 정부가 교육재정을 안정적으로 확보하는 데 필요한 시책을 수립·실시토록 하고 있으며, 초·중등교육을 위한 지방교육재정교부금을 법령으로 규정하고 있다. 하지만 고등교육은 예산 부족을 이유로 민간에 책임을 떠넘기고 수익자부담원칙을 유지한 결과 지방 사립대학은 위기에서 벗어나지 못하고 있는 현실이다. OECD 교육지표(2020)에 따르면, 2017년 기준 우리나라 고등교육 학생 1인당 공교육비는 OECD 평균의 65퍼센트에 불과하다. 그리고 고등교육 공교육비 정부 부담 비율은 38퍼센트로 OECD 평균 68퍼센트의 절반 수준이다. 학생 교육에 드는 비용은 적고, 이마저도 정부의 지원보다 민간이 부담하는 비용이 많다는 이야기다.[19]

고등교육도 고등교육재정교부금법을 제정해 초중등학교처럼 매년 국가가 일정한 재원을 지원해야 한다. 이러한 지원을 받는 만큼 사립대학 또한 공적 통제를 받으며 운영될 수 있도록 새로운 제도적 틀을 만들어야 한다. 고등교육재정교부금법은 17대 국회에서 처음 발의된 이후 18~20대에 모두 발의되었으나 임기만료로 폐기되었다. 21대 국회에서도 2021년 발의되었으나 논의되지 못하고 있다.

지방대 위기는 신라대와 같이 비정규직 노동자 해고와 학생 폐과 등 대학 구성원들의 생존권을 박탈하고 있다. 더 늦기 전에 정부가 나서서 지원책을 마련해야 한다. 그리고 학교 경영진은 비정규직이라고 소외시키지 말고 학내 구성원들과 함께 문제 해결을 위한 대책 마련에 나서야 한다. 급속히 줄어드는 학령인구를 생각할 때 시간은 그리 많지 않다.

퇴거 및 업무방해금지 등의 가처분 소송

3월 25일 총장은 1차 면담에서 농성 인원 직접고용을 언급하며 노조와 대화를 시작했다. 동시에 학교는 부산지방법원에 '퇴거 및 업무방해금지 등의 가처분 소송'을 제기했다. 앞에서는 대화하는 척하면서 법적인 처벌을 준비하고 있었다.

학교가 제출한 소송 자료는 50쪽이 넘었다. 이후 수백 쪽에 달하는 자료를 법원에 추가 제출했다. 이번 소송 대상은 노조위원장에 한정되지 않았다. 조합원 7명의 집에도 통지서가 배달되었다. 조합원들이 통지서를 보고 위축되지 않을까 걱정했다. 아무래도 가족이 통지서를 볼 테니 말이다. 나는 조합원들에게 노조가 책임질 테니 가처분 소송은 신경 쓰지 말고 가족부터 안심시키라고 당부했다. 정현실 지회장은 2014년 투쟁 경험을 이야기하며 오히려 나를 안심시켰다.

"우리가 가처분 통지서 처음 받아 봤겠어요? 2014년에도 똑같이 학교는 노조와 조합원들에게 가처분 소송 걸었어요. 그때도 똑같았어요. 학교 불법 점거하지 마라, 소음 발생 금지 등 지금과 똑같은 내용으로 소송을 걸었어요. 당시에 우리는 잘못한 거 없으니 하던 대로 농성을 계속했어요. 결국 학교와 합의서에 도장 찍으니깐 가처분 소송도 취하하더라고요. 우리는 하던 대로 투쟁할 거니 걱정하지 마세요."

가처분 소송 취지는 대학 본부를 불법 점거 농성하는 노조에 대한 퇴거 요청, 그리고 확성기를 이용한 시위로 학내 구성원들이 업무방해를 받고 있으니 농성 일일당 50만 원의 과태료를 부과해 달라는 내용이었다. 노조도 가만 있을 수 없었다. 민주노총 법률원에 문의해 변호사를 선임하고 소송에 대응했다.

4월 21일 첫 재판일에 가처분 소송 통지서를 받은 조합원들과 그렇지 않은 조합원들이 함께 재판장으로 갔다. 일명 '재판 투쟁'을 하기 위해서였다. 재판장에서는 집회나 1인시위를 할 수 없다. 소란을 피우면 즉시 쫓겨나며 판결에도 좋지 않은 영향을 줄 수 있다. 재판 투쟁의 목적은 학교가 얼마나 어처구니없는 일로 소송을 걸었는지 알기 위해서였다. 그리고 재판장에 떼로 몰려가 조용히 참관하는 것만으로도 학교는 압박받을 터였다. 학교는 가처분 통지서를 받은 조합원이 겁을 먹고 집으로 돌아갔으리라 짐작했을 것이다. 그러나 학교의 생각과 달리 농성을 접고 집에 가는 사람은 단 한 명도 없었다.

지회장이 조합원들에게 말했다.

"우리 재판에 집회하러 가는 건 아닙니다. 페트병이나 시위 물품은 챙기지 않으셔도 됩니다. 존재만으로 그들에게 압박이 갈 겁니다. 재판 방청 투쟁을 통해서 학교에서 얼마나 어이없는 이야기를 하는지 확인해 봅시다."

재판에서 학교 측 변호사는 노조 투쟁 과정을 담은 영상을 보여주며 위법 행위를 설명했다. 주로 학내 집회와 점거 농성으로 학생들이 고통에 시달리고 있다는 내용이었다. 그중 재판 참관자의 반발을 불러일으킨 내용 몇 가지를 소개하겠다. 앞에서 말한 사건이지만, 어떻게 소송 자료로 활용되었는지 보기 위해 다시 한 번 소개한다.

3월 1일 학교는 노조 차량을 통제했다. 우리는 차량 통제에 맞서 3월 2일 오전 등교 시간에 맞춰 노조 차량을 통과시키는 투쟁을 벌였다. 학교에서 차량을 통제하지 않고 문을 열어 줬다면 별문제 없이 투쟁을 마무리했을 것이다. 하지만 학교는 노조 차량을 10분가량 잡아 두었다. 차량 통행이 잦은 등교 시간이라 학교 정문이 마비되었다. 조합원들은 주차단속 요원에게 몰려가 차단기를 열라고 항의했다.

학교 측 변호사는 노조가 일부러 차량을 이용해서 학교 입구를 막고 업무를 방해했다고 주장했다. 거짓 주장에 한 조합원이 일어나 버럭 소리를 질렀다.

"아니 변호사님, 제대로 알고서 주장하세요! 차량을 막은 것은 우리가 아니라 학교였지. 어디서 거짓말합니까?"

재판장은 그 조합원에게 주의하라고 경고했다. 법원에서는 재판장의 지휘에 따라 정해진 사람 이외에는 발언할 수 없다. 나도 여러 번 제지했지만, 그 조합원은 분노를 억누르지 못했다. 재판이 끝나고 그 조합원은 법을 다루는 변호사가 입에 거짓말만 달고 산다며 억울해했다.

변호사는 두 번째로 4월 3일 노조 조합원이 학내 강의실과 화장실에 쓰레기를 허락 없이 버리는 영상을 보여 줬다. 당시 현장에 대한 부연 설명 없이 영상만 보니 노조에서 학교를 엉망으로 만들고 있는 것처럼 보였다. 아까 그 조합원이 다시 버럭했다.

"아니 변호사님, 거짓말이 도가 지나치시네요. 학교에서 우리 몰래 대체 인력을 고용한 사실은 왜 쏙 빼놓습니까?"

4월 3일은 토요일이었다. 주말에는 특별한 농성 프로그램이 없다. 연대활동가가 오면 함께 이야기를 나누는 정도다. 프로그램이 없는 대신 틈틈이 학교 건물 곳곳을 돌아다니며 동태를 살핀다. 그날 또한 순찰조가 학교를 돌아다녔다.

평소와 다름없는 주말이었지만 코로나 방역 요원들이 건물 곳곳에 보였다. 단순히 방역만 하고 있었다면 충돌이 없었을 것이다. 방역 요원들은 신라대 전용 주황색 종량제 봉투와 청소 도구를 들고 건물 곳곳을 청소하고 있었다. 현장을 포착한 노조 순찰조는 방역 요원에게 학교가 청소하라고 시켰냐며 항의했다. 방역 요원은 찍소리도 못 하고 줄행랑을 쳤다.

노조법은 노조의 파업권을 보장한다. 노조가 파업하면 회사 업무가 멈춘다. 법적으로는 노조 파업 시 대체 인력을 금지한다. 물론 철도, 도시철도, 항공운수, 수도, 전기, 가스, 석유정제, 병원, 혈액 공급, 한국은행, 통신사업 등 필수 유지 인력을 남겨야 하는 사업장이 있다. 그런데 신라대는 코로나 방역을 핑계로 알바 노동자를 고용해 주말마다 학교를 청소하고 있었다. 학교는 방역을 위해 일부분만 치웠다고 둘러댔다.

이전부터 지회장은 학교 청소 상태가 의심스럽다는 말을 자주 했다. 3월 중순에 파업한 게 맞는지 의심스러울 정도로 학교가 깨끗했다. 지회장은 교직원 청소 실력으로는 이렇게 깨끗할 수 없다며 학교가 청소 알바를 쓰고 있다고 확신했다. 증거가 없어 추측만 하고 있었는데 4월 3일 현장이 포착된 것이다. 한 조합원이 학교 하는 짓이 괘씸해서 쓰레기봉투를 풀어 헤쳐 화장실과 복도, 강의실에 뿌렸다. 학교 측 변호사는 CCTV 영상을 증거로 조합원이 상습적으로 쓰레기를 학교에 투기한다고 주장했다. 영상 속 조합원은 학교의 대응에 이렇게 말했다.

"처지 바꿔서 생각해 봐요. 부당해고당해서 파업하고 있는데 그 자리에 다른 사람을 채용해 일하고 있으면 열 안 받겠어요? 난 적어도 학교가 거짓말을 할 거라고는 생각 안 했어요. 학교가 어려우니 청소를 자체적으로 해결하겠거니 했죠. 농성 투쟁 기간에는 교직원이 청소할 줄 알았어요. 근데 이게 뭐예요? 결국 학교는 자체 청소 안 된다 판단하고 외부에서 청소노동자를 임시로 고용하고 있잖아요? 청소노동자 꼭 필요하다는 것을 스스로 증명한 꼴이죠."

노조 측 변호사는 2020년 대법원에서 판결한 수자원공사 사업장 내 하청 미화직 노동자 쟁의행위에 관한 사례를 들어 변론했다. 그들 또한 쟁의행위 중 투입된 대체 근로자의 앞을 막으며 청소 업무를 방해했고, 대체 근로자가 수거한 쓰레기를 복도에 투기하는 행위를 했다. 대법원은 쓰레기 투기 행위가 대체 근로자의 근로 제공을 막기 위한 소극적 저항이라고 판단했다(대법원 2020. 9. 3. 선고 2015도1927 판결).

판사는 재판을 종료하면서 추가 자료가 있으면 문서로 제출하라고 했다. 재판 뒤 학교 관계자 수십 명은 업무방해 근거를 자료로 제출했다. 노조 또한 당사자의 진술서와 여러 사람의 탄원서를 법원에 제출했다. 3일간 SNS와 민주노총 조합원 중심으로 탄원서를 모았다. 짧은 기간이었지만 2,500여 명이 참여했다.

투쟁이 승리하면 가처분 소송이 취하되겠지만, 합의 전에 소송 결과가 나올 수도 있어서 다른 대책을 마련해야 했다. 현장 간부 회의를 열어 재판 결과가 나오면 앞으로 어떻게 투쟁할지 토론했다. 재판부가 학교 손을 들어주면 농성 투쟁을 계속 이어갈 것인지에 관해서였다. 현장 간부들의 의견은 제각각이었다.

“2014년 투쟁 당시에도 우리는 가처분 소송 결과 신경 쓰지 말고 투쟁을 강행하자는 의견이 강했습니다. 어차피 합의서 작성하면 학교는 소송을 취하할 겁니다. 겁내지 말고 농성 투쟁하면 좋을 것 같습니다. 우리가 학교에서 나가면 투쟁 끝납니다. 학교에서는 우리가 투쟁 접고 집에 갔나 보다 생각할 겁니다. 점거 농성 아니면 투쟁을 이어가기 힘듭니다.”

“2014년 농성 투쟁을 겪어 보지 않은 동지들도 있습니다. 이번 가처분 소송은 2014년 투쟁을 겪었던 핵심 멤버들에게만 통지서가 왔습니다. 그래서 별 타격 없이 넘어갈 수 있었습니다. 근데 만약 가처분 결정 이후 학교가 여기 있는 모든 조합원에게 법적인 조치를 하겠다고 개별 가정에 통보하기 시작하면 분명 동력이 떨어질 겁니다. 간부 몇몇이 남아 초라하게 투쟁해야 할지도 모릅니다. 법적 결정을 무시하지 말고 농성 이외의 다른 투쟁 방식을 고민해야 합니다. 대학 본부 농성장은 철수하고 팀을 나눠서 학교 정문 앞 출퇴근 투쟁으로 방법을 바꿔야 합니다.”

신라대 농성과 비슷한 시기에 서울 LG 트윈타워 청소노동자가 부당해고에 맞서 사옥 점거 투쟁을 이어가고 있었다. LG도 업무방해금지 가처분 소송을 농성 노동자에게 걸었다. LG는 신라대보다 4배나 많은 농성 일일당 200만 원을 부과하겠다고 압박했다. 하지만 법원은 청소노동자 투쟁을 헌법에 보장된 단체행동권으로 인정했다. 농성 일일당 200만 원을 지급하라는 내용은 기각됐다. 다만 심야(오후 8시~다음 날 오전 8시) 농성 투쟁을 금지했다. 판결 뒤 낮에만 사업장 로비에서 농성하는 것으로 바꿨다. 그들은 끈질긴 투쟁 끝에 농성 136일째인 4월 30일 사측과 합의하고 복직했다.

장시간 논쟁 끝에 LG트윈타워 청소노동자 판결을 토대로 투쟁 방향을 준비하기로 했다. 우선 법원 결과가 나와도 농성장을 유지하자고 의견을 모았다. 대신 밤에는 집으로 돌아가 쉬고 출퇴근 형식으로 농성 투쟁을 이어가자고 결의했다.

가처분 소송 결과는 생각보다 늦게 나왔다. 6월 8일이 돼서야 판결문이 노조 사무실에 도착했다. 당시 학교와 노조는 합의를 앞둔 상태였다. 판결문은 농성 투쟁에 아무런 영향을 주지 못했다.

판결 내용은 LG트윈타워 청소노동자 판결과 비슷했다. 노조가 신라대 건물 안에서 심야(오후 8시~다음 날 오전 8시)에 머무르는 행위를 금지했다. 그리고 건물 안에서 확성기를 이용해 연설, 구호, 주장 및 노동가요를 외치는 행위를 금지했지만, 건물 밖에서는 집시법 소음 규정에만 어긋나지 않으면 확성기를 이용한 투쟁을 허용했다. 나머지 '농성 일일당 50만 원 청구' 등의 문제는 학교 손을 들어 주지 않았다.

가처분 판결에서 아쉬운 점은 원청인 신라대의 사용자성을 인정하지 않은 것이다. 노조 측 변호사는 학교가 청소노동자의 인사와 노동조건에 대한 최종적 결정 권한을 가지고 있다고 주장했다. 그래서 학내에서 농성 투쟁하는 것은 적법한 쟁의행위라는 의견을 제출했다. 하지만 법원은, 학교는 용역 업체와 도급계약했으므로 청소노동자에 대한 실질적인 지배와 결정을 하는 위치에 있지 않다고 판단했다.

결국 6월 16일 학교와 노조는 합의서를 작성하면서, 민형사상의 책임을 묻지 않고 농성 중에 발생한 고소·고발은 취하하는 것으로 마무리했다. 학교는 퇴거 및 업무방해금지 등의 가처분 소송도 취하했다.

사법적 문제는 아직 진행 중

학교와 원만히 합의했지만, 농성 투쟁 과정에서 발생한 몇몇 사건이 노조의 발목을 잡았다. 첫째는 학교 보안업체 노동자가 노조 농성 투쟁으로 전치 2주의 상해를 입었다며 고소·고발했다. 사건은 4월 중순 이사장실 앞 집회 투쟁 중에 발생했다. 3~4월 총장과 세 차례 면담 결과가 좋지 않아 가만히 있을 수 없을 때였다. 이사장에게 가서 항의 메시지라도 전달할 필요가 있었다. 조합원들과 함께 이사장실에 앞에서 면담을 요청하며 시위를 벌였다. 그러자 학교 보안업체 노동자가 시위 장면을 몰래 스마트폰으로 찍었다. 나는 불법 채증을 저지할 목적으로 달려가 항의했다. 항의 과정에서 조합원과 보안업체

노동자 사이에 실랑이가 벌어졌다. 그 와중에 보안업체 노동자의 스마트폰이 떨어져 액정이 깨졌다.

보안업체 노동자는 전치 2주 상해를 입었다며 노조를 고소했다. 학교와 합의 뒤 사건이 취하될 줄 알았다. 하지만 학교는 노동자가 일을 그만둔 상태라 강제로 고소 취하를 받아낼 수 없다는 태도였다. 나와 현장에 있던 조합원은 경찰서에서 조사받았다. 담당 형사는 처벌로 가기 전에 상호 합의를 제안했다. 지회장은 피해자에게 사과하기 위해 직접 전화를 걸었다. 그리고 스마트폰 액정 수리비와 치료비를 제공하겠다고 제안했다. 하지만 피해자는 제안을 받아들이지 않았고 사건은 검찰로 넘어갔다.

둘째는 총학생회가 노조 SNS 게시물 중 학생회를 비판한 글에 대해 명예훼손 혐의로 고소한 사건이다. 이것도 아직 진행 중이다.

대학은 일반 사업장과 달리 사용자와 노동자뿐만 아니라 다양한 구성원이 존재한다. 노조와 학교가 원만하게 합의했더라도 다른 구성원과 생긴 갈등은 쉽게 해결되지 않는다.

수련회

2021년은 내게 중요한 해였다. 오랫동안 함께했던 연인과 결혼을 앞두고 있었다. 농성장에 들어오기 직전까지도 신혼집을 어떻게 마련할지 고심 중이었다. 부산일반노조에 입사하자마자 신라대 농성 투쟁이 터지면서 결혼식 준비를 제대로 할 수 있을지 걱정이었다. 농성이라고 하면 주로 현장 노동자들이 회사 문을 잠그고 무기한 파업하는 옥쇄파업을 생각하고 있었다. 위원장에게 농성 투쟁에 들어가면 결혼식 준비를 위해 시간을 낼 수 있는지 물었다.

"농성 투쟁을 직접 책임지고 맡아본 건 처음인가 보네? 이번 농성은 대학 본부 문을 잠그고 투쟁하는 옥쇄파업이 아니에요. 일이 있으면 보고하고 중간에 나갔다가 다시 들어오면 되죠. 큰 걱정하지 말고 결혼식 준비로 일 생기면 바로 보고해 주세요. 결혼식은 조직부장 개

인사에 매우 중요할 테니 스스로 잘 챙겨서 준비 잘하시고."

위원장은 농성 투쟁으로 모든 일상이 멈추지 않는다고 했다. 급한 일이 있으면 보고하고 나가면 된다고 말했다. 보통, 농성 투쟁하면 간부는 집에 못 가는 줄 알았다. 노조 활동하기 전에도 농성 투쟁을 책임지는 간부의 급한 개인 사정은 어떻게 처리하는지 늘 궁금했다. 농성 투쟁도 사람이 하는 일이다. 소통만 잘한다면 중요한 개인사를 처리하기 위해 얼마든지 농성장을 잠시 벗어날 수 있었다.

농성 투쟁 초보인 나는 농성 생활에서 엄숙한 태도를 고수했다. 매일 기상 오전 6시 30분부터 일정이 끝나는 9시까지 오로지 농성 투쟁만 고민했다. 등교, 점심, 하교 선전전을 하고 저녁 투쟁문화제를 준비했다. 틈틈이 남는 시간에는 언론에 보도자료를 보내거나 선전물을 만드는 데 시간을 썼다. 농성장의 조직을 책임지는 조직부장으로서 다른 일을 한다는 것은 스스로 용납되지 않았다.

반면 농성장의 다른 사람들은 여유가 있어 보였다. 매일 아침 조합원들은 새벽 5시에 일어나 산책하며 체력을 관리했다. 내게도 아침 운동을 같이하자고 제안했다. 그러나 나는 일이 많다며 늘 거절했다. 거절할 때마다 조합원들은 장기 투쟁에서 조직부장이 쓰러지면 누구랑 함께하냐며 체력 관리 잘하라고 신신당부했다.

"하루도 빠짐없이 산책하죠. 우리가 농성 투쟁하는 것은 복직해서 건강하게 일하기 위해서 아니겠어요? 중간에 아프면 투쟁도 제대로 못할 텐데 내 몸 관리는 내가 해야죠. 아프면 주변 동지들에게 민폐죠. 매일 운동을 해야 해요. 부장님도 장기 투쟁에 쓰러지지 않으려면 건강 관리 잘하세요."

이 말을 듣고 나니 혼자 괜히 각 잡고 농성하고 있었다는 생각이 들었다. 실제로 매일 저녁 늦게 마치는 일정에 나만 피곤하고 조합원들은 쌩쌩했다. 50~60대인 중년 조합원이 농성 투쟁에도 지지치 않았던 비결은 매일 아침 산책이었다.

농성 투쟁도 콧구멍에 바람 넣어 가면서 하는 것

3월 말 총장과의 두 차례 면담에서 해결 방안을 도출하지 못했다. 4월 한국노총이 투쟁을 시작하면서 농성은 장기 투쟁으로 흘러갔다. 농성은 앞이 보이지 않는 안갯속 같았다. 몇몇 조합원은 다시 총장 면담을 제안하자고 했고, 지금과 같은 정적인 농성으로 상황을 극복하기 어렵다며 강렬한 투쟁을 원하는 조합원도 있었다. 그러나 학교와 대화는 이루어지지 않았고 문제 해결을 위한 묘수도 떠오르지 않았다.

노조위원장이 조합원들에게 4월 봄꽃이 피기 시작했으니 수련회를 가자고 제안했다. 위원장은 수련회를 빙자해 아름다운 산에서 기분을 전환하자고 했다. 현장 간부들은 모두 결사반대했다. 농성 투쟁

중에 학교를 비우고 놀러 가는 게 말이 되냐며 따졌다

"위원장님, 농성 투쟁 중에 놀러 가는 게 말이 됩니까? 우리 투쟁 지금 깜깜하고 앞도 보이지 않는데 농성장 비우고 놀러 가도 되는 겁니까? 조합원들에게 말해도 찬성할 사람 아무도 없을 겁니다. 어떤 수를 쓰든 빨리 투쟁을 마무리하고 싶어하는 사람들에게 농성장 비우고 놀러 가자고 하면 찬성하겠습니까?"

노조위원장이 말했다.

"현장 간부들이 이렇게 조급해서 되겠습니까? 농성 투쟁 우리 첫눈 올 때까지 느긋하게 해야 합니다. 지금 하던 대로 하다 보면 총장도 백기 들고 항복하는 그 날이 반드시 옵니다. 그러니깐 첫눈 올 때까지 투쟁한다 생각하고 하루 정도 밖에서 바람 쐬고 옵시다. 하루 기분 전환하고 나면 더 힘내서 투쟁할 수 있을 겁니다. 저만 믿고 하루 농성장 비우고 수련회 갑시다."

정현실 지회장이 맞장구쳤다.

"위원장님 말씀처럼 우리가 지금 뭘 더 한다고 해서 총장이 우리 요구를 금방 들어줄 상황이 아닙니다. 우리는 학교가 무시해도 잘 버티고 있다는 것을 보여 줘야 합니다. 우리 아직 2014년 79일도 안 지났습니다. 이번엔 좀 더 길게 가야 할 것 같으니 위원장님 말씀대로 첫눈은 너무 멀고, 딱 반바지 입기 전까지만 버텨 봅시다. 잘 버티려면 기분 전환도 해야 합니다. 콧구멍에 바람 넣으러 수련회 갑시다."

나는 농성장을 비우고 수련회를 가자는 제안은 말이 안 된다고 생각했다. 가라앉은 농성장 분위기를 띄우기 위해 위원장이 농담한다고 생각했다. 그렇다고 빡빡한 투쟁 프로그램으로 일정을 채운다고 분위기가 좋아질 것 같지도 않았다. 다른 방식이 필요했지만, 농성장을 비우고 수련회를 가도 괜찮을지 판단이 서지 않았다. 그러나 위원장 제안보다 나은 묘수가 떠오르지 않았으므로 찬성할 수밖에 없었다. 처음에 반대했던 간부들 또한 어쩔 수 없다는 투로 찬성했다. 결국 수련회가 만장일치로 결정됐다.

무엇보다 조합원과 노조 간부 모두 수련회에 참가하면 농성장은 누가 지킬지 고민이었다. 일단 부산일반노조의 다른 현장 조합원에게 부탁했다. 하지만 그들도 낮에는 현장 일을 해야 해서 농성장을 지킬 수 없다고 했다. 다행히 내가 다른 현장 조합원과 통화하는 것을 들은 학생들이 농성장을 지키겠다고 제안했다. 신라대 투쟁에 연대하는 '신라대 집단해고 철회와 직접고용 쟁취를 위한 청(소)년 학생 공동대책위원회' 소속 청(소)년들이 농성장을 하루 지키기로 했다.

수련회 장소는 합천군 황매산이었다. 코로나19로 인해 식당에 30명이 단체로 들어갈 수 없었다. 출발 전 농성장에서 음식을 포장해 바리바리 싸 들고 황매산으로 떠났다. 다행히 황매산은 산 중턱까지 차가 올라갈 수 있었다. 식사팀은 차를 타고 이동하고 나머지는 걸었다. 예상보다 날이 추워 황량한 느낌이었지만 모두 즐거워했다. 농성 투쟁 중에 이렇게 바람 쐬러 나올 수 있을지 전혀 예상 못한 눈치였다.

등산로는 생각보다 가팔랐다. 하지만 조합원들은 지치지 않고 웃고 떠들며 산을 올랐다. 매일 아침 산책의 효과가 드러나는 듯했다. 나는 매일 농성장에 앉아 노트북으로 문서 작업만 하고 있었으니 다람쥐 같은 조합원들을 따라간다는 건 어불성설이었다.

"내가 뭐랬어요. 아침에 운동하라니까. 우리는 맨날 운동하니까 이 정도 등산은 껌이죠. 부장님은 이래서 장기 투쟁 끝까지 하겠어요? 빨리 오세요."

농성장에 청소노동자가 아무도 없자 학교 총무팀장한테서 전화가 왔다. 지금 다들 어디 있는지 물었다. 다른 투쟁 현장에 연대 갔다고 대답했다. 학교에서는 농성하던 청소노동자들이 모두 없어져 당황한 눈치였다.

황매산 수련회는 성공적으로 마무리되었다. 수련회 효과는 농성 투쟁 과정에서 드러났다. 수련회 떠나기 전까지 조합원들 표정이 어두웠다. 하지만 수련회 뒤 일과를 즐기는 분위기로 바뀌었다. 힘들 때마다 수련회를 떠올리며 그때 즐거웠던 추억으로 버틸 힘을 얻었다고 조합원들은 이구동성으로 말했다.

수련회 이후에도 주말만 되면 부산·경남의 유명 관광지를 찾아다녔다. 아무래도 주말에는 농성장에서 할 수 있는 일이 많지 않다. 학교 직원과 학생도 등교하지 않아 학교가 조용하다. 농성장에 종일 가만히 앉아 있기에는 지루함이 컸다. 그래서 주말마다 콧구멍에 바람을 넣으러 다녔다. 주말 나들이를 다녀온 조합원은 한 주를 그 힘으로 버텼다. 심지어 매주 토, 일 나눠서 조합원이 집을 다녀오는데 주말 나들이를 위해 귀가하지 않는 조합원도 있었다. 농성이 끝나고 업무에 복귀한 뒤에도 그때가 그립다는 조합원이 있었다.

물론 주객이 전도되어서는 안 되었다. 주말 나들이 가는 조건으로, 나들이 시간 앞뒤에 다른 투쟁 현장 집회에 참석했다. 예를 들면 5월부터는 매주 토요일 오전에 총장 집 앞에서 집회했는데, 나들이를 가려면 집회에 꼭 참석해야 했다. 그리고 울산 현대중공업 사내하청 노동자 집회가 있다면, 참가 뒤 동구 대왕암에 들렀다 오는 식이었다.

"위원장님과 조직부장이 아줌마들 성향을 뼛속까지 알고 있는 게 신기했어요. 아무리 농성하고 있어도 주말에는 좀 쉬고 싶잖아요. 다른 일정 없이 쉬는 게 좋죠. 근데 조직부장은 어떡해서든 연대 투쟁 일정을 잡아 오는 거예요. 처음에는 좀 싫었죠. 투쟁도 쉬면서 해야 하는데 너무 굴리니깐요. 우리가 좀 불만 있는 티를 내니까 유인책으로 주말 나들이를 제안하더라고요. 가만히 대학 본부 농성장을 지키는 것보다 콧구멍에 바람 넣고 기분 전환하는 게 훨씬 낫더라고요. 그 이후로 군말 안 하고 주말 연대 투쟁하러 갔어요."

농성이라는 말을 사전 그대로 옮기면 '어떤 목적을 이루기 위해서 한자리를 떠나지 않고 시위함'이다. 즉 농성 투쟁에는 버티는 힘이 가장 중요하다. 누가 오래 버텼는지에 따라 승패가 갈린다. 신라대 농성 투쟁의 버티는 힘은 주말 나들이가 아니었나 싶다.

3

직접고용

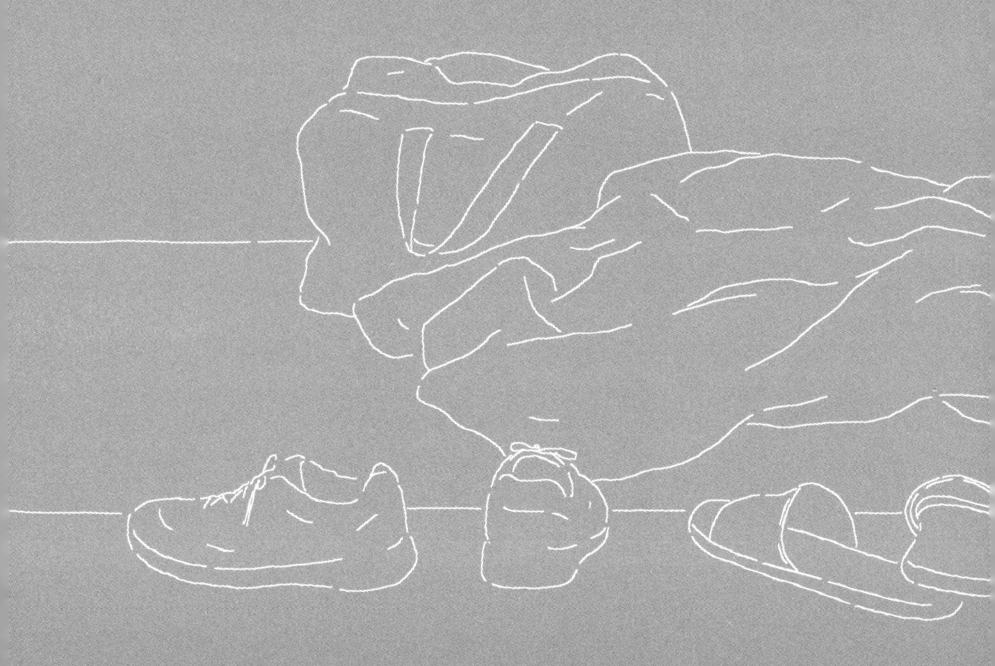

진퇴양난

2020년, 전 세계는 코로나19로 멈췄다. 중국에서 시작된 전염병이 전 세계로 퍼지면서 사람들을 위협했다. 2022년 1월 22일 기준으로 약 3억 5,000만 명이 확진 판단을 받았고 558만 명이 목숨을 잃었다. 전 세계에 비상이 걸렸고 사람들의 일상이 멈췄다. 2021년 신라대 농성 투쟁 또한 코로나19로 난감한 상황에 빠졌다.

2월 23일 농성이 시작된 뒤부터 사상구청 보건행정과 직원이 농성장에 자주 찾아왔다. 교내 안전을 위해 방역 수칙을 꼭 지켜 달라고 신신당부했다. 구청의 요구는 단순했다. 농성 참가자는 마스크를 꼭 착용하고 방문자를 기록해 달라는 것이었다. 학교 구성원의 안전과 건강을 위해 충분히 받아들일 수 있는 요구였다. 현장 총무는 그날 이후 방명록과 온도계를 농성장에 비치했고 방문자를 빠짐없이 기록했다.

매일 농성장과 학교 정문에서 개최하는 집회 또한 코로나 방역 지침에 어긋나지 않았다. 당시 부산은 사회적 거리두기 1~2단계를 오갔는데, 2단계에서는 집회 인원을 100명 미만으로 제한했다. 우리 집회는 보통, 참가자가 50~60명이었다. 많아야 100명 미만이었다.

민주노총 민주일반연맹(이하 연맹)에서 4월 전국 집중 결의대회의 신라대 개최를 제안하면서 논쟁이 시작되었다. 연맹은 부산일반노조가 소속되어 있는 산별 연맹이다. 부산일반노조 이외에 전국민주일반노동조합, 공공연대노동조합, 민주연합노동조합, 전국민주선원노동조합연합 등이 소속되어 있다. 연맹에서 집중 결의대회를 기획하면 전국 활동가가 신라대로 모인다. 300여 명이 모일 것으로 예상했다.

연맹 집중 결의대회에 많은 사람이 모인다는 말에 기대를 품었지만 한편으로는 걱정이 되었다. 대규모 집회를 개최했다가 조합원들이 코로나19에 걸린다면 농성을 이어갈 수 없을지도 모르기 때문이었다. 하지만 전국 연대의 발길에 제동을 걸 수는 없었다. 3월 말 신라대 총장과 면담이 성과를 거두지 못했기 때문에 더욱 집중 투쟁이 필요했다. 현장 간부도 비슷한 걱정을 하고 있었다.

"코로나를 마냥 무시할 수는 없는 상황이에요. 우리는 괜찮다고 해도 대중 정서가 코로나에 매우 조심스럽잖아요. 이런 상황에서 300명 집회를 개최하는 것은 부담스러워요. 뉴스에 대문짝만하게 '민주노총 신라대 집회에서 코로나 발생'이라고 뜨면 우리 계속 농성할 수 있겠어요? 전국 동지들에게 죄송하지만, 집회 규모를 줄이거나 산발적으로 학교 정문과 사상역 등 인원을 쪼개서 집회하는 게 좋다고 생각해요."

"우려스러운 부분이 없는 것은 아니에요. 하지만 해고는 살인이라는 말이 있습니다. 코로나가 무섭다고 하지만 해고만큼 무섭나요? 물론 코로나로 죽은 사람도 있고 전 세계적 전염병이라 조심해야 한다고 생각해요. 근데 코로나 때문에 집회·결사의 자유가 지나치게 방해받는다는 생각은 지울 수 없어요. 집회와 시위를 통해서 코로나가 걸린 사례도 극소수예요. 우리가 스스로 위축되면 이후에 계속 큰 판은 고사할 수밖에 없잖아요. 매일 하자는 것도 아니고 딱 한 번 정도 대규모 집회는 마다할 이유가 없어요"

"작년에 광화문에 태극기부대 전광훈 목사 집회 기억하죠? 전광훈 목사가 전국 신도와 태극기부대 활동가들 모아 서울에서 3만 명 규모 집회했잖아요. 당시 250여 명의 확진자가 발생한 거 아시죠? 물론 우리 투쟁과 성격이 다른 집회라서 다르게 생각할 수 있습니다. 하지만 사람들이 집회 내용에 관한 이야기보다 대규모 집회가 열리는 것 자체에 대한 반대가 심한 상황이에요. 아무리 방역 수칙 잘 지켰다 해도 확진자 나오면 지금까지 투쟁 성과가 말짱 도루묵이 될 수도 있어요."

"우리 집회를 어떻게 태극기부대 집회와 비교합니까? 당시 광화문 집회 때 전광훈 목사는 코로나 방역 수칙도 지키지 않았어요. 사랑의 교회는 방역 수칙도 따르지 않으면서 현장 예배를 강행했고 그런 사람들이 집회에 몰려들었죠. 전광훈 목사는 3만 명 모인 집회에 마스크도 쓰지 않았고요. 수백 명과 악수하고 침 튀기며 이야기했으니 확진자가 나올 수밖에 없었죠. 근데 작년 7월 3일 열린 민주노총 전국노동자대회에서 확진자는 아무도 안 나왔어요. 방역 수칙만 잘 지킨다면 대규모 집회 개최 문제없어요."

집회가 열리기 직전까지 치열하게 토론했다. 쉽게 결론 내기 어려웠다. 농성 투쟁 이후 가장 의견이 분분했다. 고심 끝에 집회를 열기로 했다. 연맹 집행부는 300명 규모를 이야기했지만, 전국에 활동가들이 얼마나 모일지 알 수 없었다. 일단 방역 수칙보다 많은 100명이 넘으면 학교 곳곳에 인원을 배치해 쪼개기 집회하기로 의견을 모았다.

결정한 이상 주저할 수 없었다. SNS를 이용해 '신라대 집단해고 철회 민주일반연맹 집중 결의대회'에 연대를 호소했다. 힘들게 싸우고 있는 신라대에는 꼭 가야 한다며 전국의 활동가들이 결의대회 홍보물을 공유했다. 집회를 준비하는 처지에서 마음이 조마조마했다. 앞에서는 집회를 강행하자고 큰소리쳤지만 예상할 수 없는 상황에 불안감을 감출 수 없었다.

드디어 4월 9일 아침이 밝았다. 전국 각지 노조에서 아침부터 전화가 왔다. 전화기에 불이 날 정도였다. 오후 3시 신라대 정문 앞에 전국에서 달려온 300여 명의 노동자가 모였다. 평소 우리끼리 집회할 때 경찰은 오지 않았다. 그러나 이날은 사상경찰서의 높은 직급 간부가 직접 올라와 집회를 감시했다. 예상 밖으로 많은 사람이 집회 현장에 모이자 경찰과 구청에서도 당황했다. 2020년 코로나19로 접어든 이후 부산에서 대규모 집회가 열린 적이 없었다. 경찰과 구청도 어떻게 대응해야 할지 모르는 눈치였다. 우왕좌왕하는 틈을 타서 집회 사회자는 민중의례를 시작했다.

구청과 경찰은 이곳저곳 전화해 보고 나서야 대응하기 시작했다. 구청 직원은 집회 참가자 수를 손가락으로 일일이 헤아리며 확인했다. 구청에서는 100명을 넘으면 안 된다며 참가자 간 거리두기를 요구했다. 구청의 요구를 받아들여 집회 인원을 50미터가량 띄워서 학교 곳곳에 배치했다. 집회 막바지에 경찰은 방송으로 즉각 해산을 명령했다. 코로나19 조치 사회적 2단계에 따라 집회 시위 인원이 100명 미만으로 규정되어 있는데 법을 위반했다는 것이었다. 경찰은 주최자를 고발하겠다고 말했다. 집회가 거의 끝난 마당에 '집회를 멈추고 모두 집으로 돌아갑시다'라고 할 수는 없었다. 그렇다고 집회를 예정대로 진행하기도 어려웠다. 진퇴양난이었다.

집중 결의대회는 원래 집회와 행진으로 나뉘어 있었다. 30분 정도 학교 정문에서 집회하고 참가자 모두 한 경로로 행진할 계획이었다. 하지만 경찰의 집회 해산 통보가 거세 예정대로 진행할 수 없었다. 경찰의 압박을 벗어날 묘안이 필요했다. 연맹 간부와 긴급 논의를 거쳐 행진을 두 방향으로 나누고 최종 목적지를 대학 본부로 하자고 결정했다. 행진 대열이 두 방향으로 나뉘자 경찰은 해산 통보를 멈추었다. 행진을 마치고 대학 본부에서 참가자 전원이 다시 모여 집회를 마무리했다.

다행히 집회 뒤 확진자는 발생하지 않았다. 집회 참가자에게 마스크를 절대 내리지 말라고 여러 번 이야기했고 집회 뒤 따로 밥을 제공하지 않고 해산했다.

114일간의 농성 과정에서도 확진자는 단 한 명 없었다. 농성 투쟁 승리 뒤 지회장은 농성장에 코로나19 확진자가 없었던 것은 행운이라고 말했다.

"우리 투쟁할 때 코로나 확진자가 발생하지 않아서 정말 다행이었어요. 운이 너무 좋았어요. 전국 각지에서 사람들이 학교로 찾아왔는데 혹시나 코로나 한 명이라도 걸리면 어쩌나 하는 걱정이 컸어요. 우리 투쟁 때 학생들은 몇몇 코로나에 걸렸더라고요. 학교 건물 일부가 폐쇄되기도 했는데 다행히 대학 본부는 아무도 안 걸려서 우리 농성 계속할 수 있었죠. 코로나가 우리 어려움을 이해했는지 잘도 피해 갔네요."

안전 vs. 집회·결사의 자유

2020년 코로나19 발생 이후 집회와 시위는 예전보다 줄었다. 인권단체 '공권력감시대응팀'에서 발표한 자료를 보면 서울지역 집회 신고는 2019년 36,551건, 2020년 34,944건으로 전년 대비 1,607건 줄었다. 집회 금지 통보 또한 증가했다. 2018년 12건, 2019년 9건에 그쳤지만, 2020년에는 4,380건에 달했다. 경찰청 국가경찰위원회 〈2021년 집회 시위 상황 분석과 2022년 전망〉을 보면 2021년(1~11월) 4,985건의 집회에 금지를 통고했다. 2020년 대비 약 605건이나 증가했다. 코로나19로 모이는 것이 위험한 분위기에서 집회 규제는 필요한 조치라 생각할 수 있다. 문제는 사회적 거리두기 정책의 일관성이다. 집회 시위에 대해서는 금지나 인원을 제한했지만 다른 행사에 대해서는 규제를 풀었다.

서울시는 '2020 한국전자전', '2020 더골프쇼', 더현대서울 백화점 오픈 행사와 같은 대규모 행사가 감염병 전파 위험이 큰 대규모 실내 밀집 활동임에도 허용했다. 또한 2020년 박원순 서울시장 사망에 따른 시민분향소를 서울광장에 차리면서 대규모 제례 행사를 허용했고, 2021년 9월 충청도에서 열린 더불어민주당 지역 순회 경선에 수천 명이 몰렸지만 제재하지 않았다. 중앙수습본부 사회전략반장은 "각 당의 대선후보 경선은 정당법 등 법률에 따른 활동으로, 공적 활동에 속하기 때문에 사적 모임 제한이나 거리두기 체계를 적용하지 않는다"

고 답했다.

반면 서울시는 2월 19일 서울광장에 차려진 백기완 통일문제연구소장 영결식 주최 측을 감염병예방법 위반 혐의로 고발했다. 또한 정부는 2021년 7월 3일 서울에서 대규모 집회를 개최한 민주노총 양경수 위원장을 방역 수칙 위반으로 구속했다. 서울중앙지법은 집회및시위에관한법률 위반 등으로 기소된 양 위원장에게 징역 1년에 집행유예 2년, 벌금 300만 원을 선고했다. 이에 따라 구속되었던 양 위원장은 84일 만에 석방됐다.

집회와 시위는 힘없는 사람들이 선택하는 저항 수단이다. 신라대 농성 투쟁을 시작하기 전에 노조는 학교와 접점을 좁히기 위해 노력했다. 학교의 주장이 완강함을 확인한 뒤에는 지방노동위원회 노동쟁의 조정을 통해서 문제를 해결하려 했다. 그런데도 학교의 태도에 변화가 없었기 때문에 전면파업을 선언하고 114일간 농성 투쟁을 이어갔다. 집회 금지는 힘없는 사람이 대화를 통해 해결이 안 될 때 선택할 수 있는 유일한 방법을 지우는 일이다.

부산일반노조에는 ○○시장에서 일하는 노동자들이 있다. 시장상가번영회 사무직 노동자가 회장단의 비리를 고발했다고 2021년 5월 해고당했다. 노동자들은 부당해고 철회를 주장하며 매주 1회 집회를 이어갔다. 하지만 2021년 8월 사회적 거리두기 4단계 조치가 행해지면서 전면 집회 금지를 통보받았다. 해고 노동자는 한 달 동안 아무런 목소리를 내지 못했다. 그 기간 사측은 또 한 명의 사무직 노동자를 부당해고했다. 집회 금지로 노조 활동은 위축되었고 부당해고당해도 아무런 목소리를 낼 수 없었다.

2021년 12월 17일 서울행정법원에서 코로나19로 인한 집회 금지에 관한 의미 있는 판결이 나왔다. 아시아나케이오는 2020년 5월 코로나19에 따른 경영난을 이유로 노동자에게 무급휴직을 강요했다. 이에 동의하지 않는 노동자 8명을 해고했다. 아시아나케이오 노조는 부당해고에 항의하기 위해 2020년 5월 12일 서울 종로구 금호아시아나그룹 본사 앞 인도와 도로에서의 옥외집회신고서를 경찰에 제출했다. 하지만 종로구청은 5월 26일 코로나19 확산 방지를 위한 집회 제한 고시를 공고해 종로1~6가 주변과 종로구청 앞 등에서 집회를 열 수 없게 했다. 고시를 위반하면 감염병의예방및관리에관한법률(감염병예방법)에 따라 집회 참가자에게 300만 원 이하의 벌금을 물린다는 처벌 규정도 포함됐다. 서울행정법원은 아시아나케이오 해고 노동자들이 서울 종로구청의 집회 제한이 위법하다며 낸 집회 제한 고시 처분 취소 소송 재판에서 구청을 꾸짖었다. 재판부는 집회의 장소를 선택할 수 있는 자유는 헌법에서 보장한 '집회의 자유'의 핵심으로써 지켜져야 한다는 취지에서 각하 판결했다. 각하는 소송요건의 흠결이나 부적법 등을 이유로 본안심리를 거절하는 것을 말한다.[20]

집회와 시위의 자유를 지나치게 제약해서는 안 된다. 집회와 시위를 금지할수록 사회적 약자들이 외칠 수 있는 공간은 삭제된다. 정부는 감염병 피해 없이 안전할 권리와 동시에 의사를 표현할 자유와 단결해 행동할 권리를 보호해야 한다. 집회와 시위를 금지하기보다 방역 안전 수칙을 참가자가 지킬 수 있도록 개도하는 것이 정부가 해야 할 역할이다. 더불어 코로나19로 집회와 시위를 금지하는 '감염병예방법 제49조 제1항'은 내용이 포괄적이라 남용될 우려가 있어 개정이 필요하다.[21]

딜레마

2021년 4월 7일 부산광역시장 보궐선거가 시행되었다. 2020년 4월 성추행 사건으로 사퇴한 부산시장을 다시 뽑기 위한 선거였다. 농성 투쟁과 부산시장 선거 시기가 겹쳤다. 민주노총 부산본부는 진보당 노정현 후보를 지지 후보로 정했다. 노 후보는 선거 이전부터 신라대를 자주 방문해 사태 해결을 약속했다. 조합원들은 노 후보에게 고민을 자연스럽게 털어놨다. 미래당 손상우 후보도 농성장을 찾았다. 손 후보는 자신의 제1 공약은 가덕도 신공항 반대이지만 신라대 문제 또한 챙기겠다고 약속했다. 바야흐로 정치의 바람이 신라대 농성장에도 불었다. 농성장에서는 누구를 지지할 것인가를 두고 논쟁하지 않았다. 그보다 선거 국면 활용에 관한 논쟁이 치열했다.

한창 선거 분위기가 무르익을 때 농성장은 바빴다. 농성장을 안정적으로 운영하고 총장과 면담을 통해 성과를 얻어내기 위해 전력투구했다. 선거 기간에 정치적 이슈가 집중되자 자주 방문하는 연대활동가가 문제를 제기했다.

"부산시장 선거 국면에 대한 노조 측 대응은 없나요? 부산시민들이 전부 시장 선거에 관심이 쏠려 있는 상황에서 신라대 농성 이야기는 언론에서 묻힐 수 있을 것 같아요. 어떻게든 시장 선거 국면을 활용했으면 해요."

선거와 투쟁이 겹치면 보통 노조에서도 대응책을 마련한다. 후보자에게 연락해 선거 국면에서 문제 언급과 지지 방문을 요청한다. 취지에 동의하는 후보를 모아 기자회견을 열기도 한다. 하지만 핵심 이슈가 아니면 후보자가 선거 일정을 빼서 참여하기란 쉽지 않다. 그래서 주로 후보자들에게 질의서를 보낸다. 예를 들면 '신라대 청소노동자 집단해고와 부당해고에 관해 어떻게 생각하는가?'라는 질문을 보내는 식이다. 그럼 정책 담당자가 답변서를 보낸다. 물론 답변을 거부하는 정치인도 있다. 노조는 질문지 결과를 토대로 기자회견을 열어 누가 적극적인 태도를 보이는지 발표한다. 답변을 거부하는 정치인도 공개하면서 간접적으로 비판한다.

결론부터 말하면, 신라대 농성 투쟁 기간에 노조는 부산시장 선거에 대응하지 못했다. 신라대 투쟁 역사를 살펴보면 왜 이런 결말이 나왔는지 이해할 수 있다. 앞서 소개한 것처럼 2014년에 신라대 청소노동자는 79일 농성 끝에 고용안정을 보장받았다. 당시 전국에서 찾아보기 힘든 승리로 언론에 자주 언급되었다. 하지만 신라대 총장은 노조와 합의서를 작성하지 않았다. 더불어민주당 을지로위원회 소속 국회의원과 총장이 합의서에 도장을 찍었다. 당사자는 노조인데 학교는 국회의원과 합의한 것이다. 왜 이렇게 되었을까?

2014년 총장은 투쟁 기간에 단 한 번도 노조와 면담하지 않았다. 학교는 용역 업체를 통해 근로관계를 맺고 있는 청소노동자에게 어떤 책임도 없다고 말했다. 용역 업체와 단순히 사업계약을 맺었을 뿐이라고 일축했다. 총장에게 직접 의견을 전달할 수 없었던 조합원들은 편지를 써서 총장실에 갔다. 하지만 편지조차 총장에게 전달할 수 없었다. 간접고용 비정규직 청소노동자는 학교에서 일하고 학교 예산으로 임금을 받지만 학교와 상관없는 투명 인간이었다.

"당시 총장실 앞에서 편지를 전달하기 위해 직접 갔어요. 처음에는 혼자 총장실에 가서 편지만 전달하려고 했어요. 학교에서는 총장이 직접 편지를 받는 것은 불가하고 사무처장이 의견을 수렴하겠다고 했어요. 맨날 사무처장이 우리 의견 듣는다고 했지만, 말만 하고 바뀐 게 없잖아요. 총장님을 직접 만나고 싶은데 그걸 거부하니 편지라도 주겠다는 거였어요. 근데 그것조차 거부당할 줄 누가 알았겠어요. 심지어 제가 울부짖으면서 총장님을 수백 번 불렀는데 얼굴 한 번 보여주지 않았어요. 야속하더라고요. 우리가 신라대에서 학생, 교직원, 교수님 들 편하게 생활하기 위해 청소하는데 총장 한 번 못 본다는 게 말이 안 되죠."

당시 부산일반노조 집행부는 고민이 많았다. 총장은 사태 해결을 위해 나서지 않고 용역 업체는 책임을 회피해 막막했다. 때마침 더불어민주당 을지로위원회 국회의원이 신라대를 방문한다는 연락이 왔다. 국회의원이 직접 신라대 총장을 만나 보겠다고 했다. 이날 노조는 국회의원을 총장실로 밀어 넣고 끝장 투쟁을 기획했다. 합의서를 작성하지 않으면 총장을 집으로 돌려보내지 않겠다는 전략이었다. 조합원은 총장실 앞에 대기했고 수백 명의 부산지역 시민사회 활동가가 학교를 둘러쌌다. 학교 축제 때보다 사람이 많아 학내가 시끌시끌했다. 만약 총장이 합의서를 작성하지 않았다면 무슨 일이 벌어졌을지 상상조차 할 수 없을 정도였다.

다행히 합의서가 작성돼 농성이 일단락되었다. 하지만 합의서 작성 와중에도 진기한 장면이 펼쳐졌다. 부산일반노조위원장은 합의서를 작성하는 순간에도 총장실에 들어가지 못했다. 옆 대기실에서 사태를 지켜봤다. 국회의원은 노조위원장과 합의서 내용을 상의하기 위해 총장실과 대기실을 수십 번 오갔다. 긴 시간 끝에 합의서를 만들었지만, 노조 이름은 빠졌다. 당시 사진들을 찾아보면 총장과 노조위원장이 합의서를 들고 찍은 사진이 없다. 노조위원장과 은수미, 배재정 의원이 합의서를 들고 찍은 사진뿐이다. 합의서 내용은 청소노동자에게 적용되었지만, 노조는 끝내 총장과 만나지 못했다. 이렇게 2014년 농성은 정치인의 개입으로 해결되었다.

하지만 2021년 부산시장 선거에 관한 현장의 반응은 달랐다. 정치인을 활용해 하루빨리 사태 해결을 촉구해야 한다는 견해와 느긋하게 노조 주도로 끝까지 투쟁해야 한다는 견해가 팽팽하게 맞섰다.

"2014년 투쟁 과정에 노조가 총장과 합의하지 못한 건 두고두고 아쉬운 문제 아닙니까? 정치권에서는 자신들이 마냥 신라대 청소노동자 사태를 해결한 것처럼 행동했잖아요. 언론에서도 노조는 쏙 빼고 국회의원이 문제 해결했다고 보도했죠. 우리가 투쟁한 걸 고스란히 정치권에 넘겨준 꼴이 돼 버렸어요. 힘겹게 농성 투쟁하는 과정은 조명받지 못했으니 말이죠."

"당장 문제 해결이 중요하지, 누가 해결했는지가 중요합니까? 지금 청소노동자들 하루빨리 복귀하기 위해서는 수단과 방법을 가리지 않아야 한다고 생각합니다. 정치권을 통해서 해고 철회와 직접고용만 된다면 이용해야 합니다. 우리가 이용당하는 게 아니라 이용할 방안이 모색되면 좋을 것 같습니다."

"동지들, 너무 어렵게 생각하는 것 같습니다. 선거는 부산시민 모두가 주목하는 시기입니다. 선거 때 후보가 우리 이야기 한마디만 해줘도 학교에 큰 압박이 될 겁니다. 우리 공을 정치권에 넘기자는 것이 아니고 우리가 그들을 이용하는 방법을 쓰자는 겁니다. 적극적으로 전화해서 현장에 와서 사진도 좀 찍고 언론에 우리 문제 알려 달라고 호소도 해야 합니다. 아니면 질의서라도 만들어 후보들에게 뿌려서 기자회견이라도 해야 한다고 생각합니다."

"사실 이 문제를 우리가 고민하는 것도 조금 우습네요. 후보자들이 자발적으로 찾아와서 문제 해결을 위해 뭐라도 해야 하는 거 아닙니까? 우리는 부산시민으로 안 보이나 봐요. 이미 부산 모든 언론에서 신라대 청소노동자 문제가 언급되었는데 당선 유력후보는 찾지 않잖아요. 예전에는 문재인 대통령도 국회의원 시절 현장에 방문한 적이 있어요. 그 이후에 더불어민주당 을지로위원회가 와서 합의서 도장 찍었고요. 근데 요새 정치인들은 이런 민생 문제 관심도 없지요. 그저 선거 국면에 지지자들 세력 대결만 하는 것 같아요. 이런 상황에 우리가 정치권에 동원되어서는 안 되죠."

논쟁이 치열했지만, 선거 국면 활용에 관한 노조 입장을 명확히 정하지 못했다.

시간이 흘러 부산시장 선거가 시작되었다. 선거에서 신라대 문제를 언급한 후보는 단 두 명에 그쳤다. 민주노총 지지 후보였던 노정현 후보가 언론과 인터뷰를 통해 부산에 투쟁하는 노동자 문제를 해결하겠다고 말했고, 민생당 배준현 후보는 "대학 재정 여건상 어려움은 이해하지만, 청소노동자 집단해고는 잘못된 조치"라며 해고 철회를 촉구했다. 당선 가능성 있는 유력후보들 입에서는 단 한마디도 나오지 않았다.

정당에서 일하다가 노동 현장으로 오면서 정치를 바라보는 내 시선이 달라진 것을 느꼈다. 정치권에 있을 때는 수단과 방법을 가리지 않고 선거 국면을 활용해야 한다고 생각했다. 선거와 같은 열린 국면을 적극적으로 이용하면 투쟁에 무조건 득이 된다고 생각했다. 선거 국면을 활용하지 않고 오로지 투쟁만 하겠다는 현장이 답답할 때가 많았다. 하지만 직접 겪어 보니 현장은 복잡했다. 현장마다 가지고 있는 특성과 역사에 따라 정치권에 접근하는 태도가 달랐다.

정치권 개입을 반대했던 조합원은 외부의 힘이 아니라 오로지 노조의 힘으로 쟁취한 승리를 맛보고 싶었을 것이다. 시간이 오래 걸리더라도 말이다. 어정쩡하게 용역 업체를 통한 고용보장이 아니라 직접고용으로 학교 구성원이 되는 것이 진정한 승리라고 본 것이다. 결국 정치권의 도움 없이 노조와 신라대가 합의해 직접고용으로 복직을 쟁취했다. 만약 조급하게 정치인을 활용해 사태 해결을 서둘렀다면, 복직은 되었을지 몰라도 직접고용은 쟁취하지 못했을 수 있다.

노동자 정치세력화

그런데도 노동자 정치세력화[22]를 고민해야 하는 민주노총 소속 노조 조직부장으로서 부산시장 선거를 그냥 지나쳤던 것은 아쉬움이 남는다. 민주노총 부산본부 지지 후보였던 진보당 노정현 후보는 13,054표를 받았다. 민주노총 부산본부 조합원은 약 6만 5,000명에 이른다. 지지 후보가 받은 표는 조합원 수의 반에도 못 미친다. 민주노총 조합원이라고 해서 자동으로 진보정당 후보를 찍지는 않았다는 뜻이다. 거대양당 중심 선거에서는 될 놈을 찍자는 분위기가 강하다. 그렇다 보니 진보정당 후보는 마음으로 지지하더라도 실제 표로 연결되지 않는다.

노조 활동을 시작하며 현장에서 정치 이야기를 꺼내면 회의적인 반응이 많았다. 권력을 가진 자가 자신의 권력을 더 강화하기 위해 국민을 이용하는 행위라는 편견이 강했다. 언론에서 정치인들끼리 서로 핏대를 세우며 싸우는 장면만 부각하니 그렇게 생각할 수도 있겠다 싶었다. 그러나 국민이 정치를 회의적으로 볼수록 권력을 쥔 사람은 기득권을 위한 제도를 더욱 강화할 뿐이다. 이걸 말로 아무리 설명해 봐야 현장 조합원을 설득할 수 없었다. 직접 정치에 참여해 자기 삶이 변화하는 것을 경험해야 정치의 순기능을 이해할 수 있다.

과거 노동조합의 정치 참여는 다양한 방식으로 이루어졌다. 1998년 6·4 지방선거에 민주노총은 국민승리21과 함께 조합원들을 선거에 출마시켰다. 그중 울산 북구청장, 동구청장 등 기초단체장 3명의 당선자를 배출했고 광역의원과 기초의원 20명도 당선되었다. 당시는 1997년 IMF로 한국 사회 경제에 큰 타격이 왔고 정부는 노동자 정리해고를 내세웠다. 이에 지방선거에 출마한 후보들은 실업 문제와 소외계층의 복지 대책을 공동 공약으로 내세우면서 IMF 위기를 기회로 활용했다. 선거를 준비하는 과정에서 동구청장으로 당선된 김창현 후보는 현대중공업, 현대미포조선 등 대규모 사업장 노조의 지원을 받기도 했다. 당선자는 지역 정치인으로 성장해 노동자의 어려움을 해결하기 위해 노력했다.[23]

또 다른 사례는 2011년 한진중공업 정리해고 사태다. 한진중공업 사태는 2010년 12월 사측이 경영 악화로 400명 정리해고안을 발표하면서 촉발되었다. 노조는 전면파업을 선언하고 2011년 11월 10일까지 투쟁을 이어갔다. 당시 한진중공업 해고자 신분이자 민주노총 부산본부 지도위원인 김진숙은 한진중공업 크레인에서 고공 농성을 벌였다. 김진숙 지도위원은 트위터를 통해 투쟁 소식을 전국 네티즌에게 알렸다.

한진 소식이 알려지자 '희망버스'라는 전국 연대가 자발적으로 조직되었다. 희망버스는 전국에서 사람들이 버스를 타고 부산 한진중공업 앞으로 모이는 행사였다. 나도 대학 친구들과 희망버스에 빠지지 않고 참여했다. 1차 희망버스는 부산지역 노동조합 활동가와 다른 지역에서 온 시민 1천여 명 정도의 규모였다. 하지만 희망버스가 2차, 3차로 이어지면서 수만 명이 참가하는 집회로 규모가 커졌다. 정리해고를 철회하지 않으면 전국 곳곳에서 온 수만 명의 시민이 매주 주말 영도로 모일 태세였다.

희망버스로 전국에 한진중공업 문제가 알려지자 정치권에서 현장을 찾았다. 노동계와 가까운 진보정당 국회의원뿐만 아니라 민주당 정동영 의원이 수시로 현장을 찾았다. 끈질긴 투쟁과 정치권의 노력으로 한진중공업 조남호 회장이 국회환경노동위원회에 청문회 증인으로 출석하는 성과를 끌어내기도 했다. 당시 청문회 자리는 여야 가릴 것 없이 조 회장을 질타하는 특이한 장면을 연출했다. 2011년 11월 10일 국회 환경노동위원회 권고안을 사측이 수용하면서 정리해고가 철회되었다.

한진중공업 희망버스는 노동조합과 시민이 정치권을 움직여 해결 방법을 도출한 모범적인 사례로 남았다. 일각에서는 정치권 중재를 두고 자율적인 노사 관계에 개입했다는 비난도 있지만, 당면한 사회 문제 해결을 위해 개입하고 재발하지 않도록 보호망을 만드는 것이 정치 본연의 역할이다.[24]

정치 참여는 선거에 후보자가 되거나 선거운동을 하는 행위에 그치지 않는다. 한진중공업 희망버스처럼 사업장 문제를 국민에게 호소하고 그것을 해결하기 위한 공적인 방법을 찾는 행위가 정치다. 부산시장 선거에 청소노동자 집단해고 문제를 알릴 수 있는 방법을 찾았어야 했다. 단순히 영웅 같은 정치인에게 총장을 만나 문제를 해결해 달라고 부탁하는 것은 여기서 말하는 정치 참여가 아니다. 부산시장 후보 전원이 신라대 문제를 부산 핵심 문제로 생각하게끔 만드는 정치 행위가 필요했다. 부산시장 선거 국면을 좁은 틀에 가두고 고민했던 것이 농성 끝나고도 두고두고 아쉬움으로 남는다.

연대, 힘, 고민

농성 투쟁을 준비하면서 앞으로 써야 할 돈 걱정이 앞섰다. 신라대지회는 2014년 79일간 농성을 경험한 상태라 몇 달 농성하기 위해서는 많은 돈이 필요하다는 사실을 알고 있었다. 실제로 한 달 식비만 해도 500만 원 이상 들었다. 코로나19 때문에 외부 연대인이 식사를 많이 하진 않았다. 그래도 보통 평일에 40명이 농성장에서 하루 세 끼를 먹었다.

신라대지회는 사측과 합의해 폐지를 주워 판 돈을 현장 복지비로 쓰고 있었다. 다행히 그 돈이 300만 원가량 남아 있어서 농성 자금에 보탰다. 그리고 조합원 1인당 10만 원의 참가비를 냈다. 모두 합쳐 600만 원 정도 되었다. 한 달 식비보다 조금 많았다. 농성이 4월까지 가면 재정 부족으로 농성을 접어야 할 판이었다.

식비를 최소화하는 방법밖에 없었다. 농성장에 부엌을 차려 직접 밥을 지어 먹었다. 매일 도시락을 시켜 먹거나 배달 음식을 먹으면 한 달도 안 돼서 재정이 바닥날 게 뻔했다. 농성 초기에 점심은 무조건 라면과 밥이었다. 매일 라면이 나오자 불만이 터져 나왔다. 나는 지회 총무에게 투쟁지원금을 알아볼 테니 점심도 다양하게 준비하라고 부탁했다.

"조직부장님, 우리가 먹는 데 재정을 무리하게 쓰면 한 달도 못 버팁니다. 지원금이 아직 제 손에 들어오지 않는 상황에서 식비에 돈을 더 쓰기 어렵습니다. 앞으로 필요한 돈은 수천만 원인데 현재 600만 원밖에 없으니 무리하게 쓰면 우리 농성 접어야 합니다."

당시 농성 중인 서울 LG 트윈타워 청소노동자들은 '하루 한 끼 도시락 후원' 글을 트위터에 올렸다. 그리고 현장 노동자가 라디오에 출연해 문제 해결을 촉구했다. 그 후 많은 사람이 도시락 연대에 동참했다. 그걸 보고 우리도 신라대 투쟁을 페이스북을 통해 알렸다. 서울이 아닌 지역의 사립대학교 노동자 문제에 관심을 두겠나 싶었지만, 열심히 홍보했다. 노조에서 운영하는 공식 계정뿐만 아니라 조합원도 페이스북 계정을 만들어 꾸준히 글을 올렸다.

그러자 민주노총 각 노조에서 연락이 왔다. 대규모 사업장부터 소규모 사업장 노조까지 신라대 투쟁을 응원하기 위해 전국 곳곳에서 투쟁지원금을 보냈다. 시민들도 후원에 동참했다. SNS를 통해 소식을 듣고 서울, 제주도, 전라도, 강원도 등 전국 각지에서 찾아와 투쟁을 지원했다. 심지어 점심마다 라면을 먹고 있다는 소식을 듣고 밥차로 연대하는 활동가들이 신라대를 찾아 밥을 차려 주기도 했다.

"밥차로 연대하는 동지들이 너무 좋았어요. 매일 밥해서 먹는 게 여간 힘든 일이 아니더라고요. 매일 30~40명 밥을 차려야 하는데 밥차가 오면 하루 밥을 안 해도 되었거든요. 밥차가 온다고 하면 하루 전부터 기분이 좋았어요. 내일은 밥 걱정 안 하고 열심히 투쟁만 하면 되겠다는 생각에 그저 웃음이 나오죠. 그리고 밥차 메뉴가 푸짐해서 허리둘레 치수 포기하고 과식해 버리더라고요."

SNS뿐만 아니라 지역 언론을 통해서도 신라대 문제가 자주 언급되니 투쟁 소식이 자연스럽게 많은 사람에게 퍼져 나갔다. 소식을 듣고 많은 사람이 학교를 찾아와 투쟁을 지원했다. 다행히 농성하는 동안 연대활동가의 지원으로 돈 걱정하지 않았다. 애초에 우려했던 재정 문제는 연대의 힘으로 극복했다.

투쟁지원금뿐만 아니라 신라대에 많은 사람이 각자의 재능을 가지고 연대했다. 평일 저녁 열리는 투쟁문화제에서 공연하겠다는 사람들로 줄을 섰다. 노래패, 몸짓패, 시인 등 지역의 예술가가 농성장을 방문해 매일 공연했다. 신라대 청소노동자를 주제로 연극을 만들어 오는 사람들도 있었다. 현장의 고민을 깊이 있게 다룬 연극을 보며 오랜 농성으로 지친 조합원들은 울고 웃었다.

집회가 없는 오후 시간을 이용해 재능기부하는 활동가도 있었다. 농성으로 아픈 조합원을 위해 한방 진료를 해 준 한의사, 스트레칭을 알려 준 활동가, 전통 춤꾼, 교육 활동가 등 다양한 분야의 연대활동가가 농성장을 찾았다.

많은 사람이 학교를 찾아오자 일과가 예상보다 길어졌다. 종일 공연과 프로그램을 돌려도 모자랄 판이었다. 마침내 조합원들의 불만이 터져 나왔다. 농성장 공식 일정이 밤 9시 넘어 끝나는 날이 많아 피로가 쌓여 다음날 일정을 소화하기 힘들다는 불만이었다.

"농성은 그냥 가만히 있으면 되는 줄 알았어요. 일할 때보다 더 빡센 것 같아요. 집회를 하루에 세 탕 뛰고 남는 시간에 교육도 하니 정신없이 하루가 흘러가요. 연대 와 주는 동지들 고맙긴 한데, 몰려서 오면 이후 일정을 수행하는 데 차질이 생기는 것 같아요. 일정 조절이 필요할 것 같아요."

애초 계획은 오전 8시에 선전전으로 시작해서 저녁 투쟁문화제를 8시에 마무리하는 것이 목표였다. 하지만 전국 예술인이 지원하기 시작하면서 저녁 투쟁문화제 시간이 길어졌다. 9시에 끝나는 때가 다반사였고 10시에 끝나는 때도 있었다. 이 조합원은 내게 공연 팀이 하루에 몰리지 않게 적절히 나눠서 배치해 달라고 건의했다.

연대하러 오는 공연팀에게 일정이 많을 때는 공연 시간과 일정을 조절해 달라고 요청했다. 그러나 하루에 수십 통씩 전화가 오니 상황

설명이 사무적으로 변하기 시작했다. 연대활동가들에게 농성장 상황을 충분히 설명하지 않고 일방적으로 거절을 통보하기도 했다.

"오늘 투쟁문화제 일정에 공연팀이 가득 차서 다음에 오셨으면 좋겠습니다. 이번 주와 다음 주 내내 공연팀도 가득 찬 상황이라 당분간 안 오셔도 될 것 같습니다. 다음에 없을 때 제가 연락드리도록 하겠습니다."

결국 문제가 터졌다. 공연을 문의했던 한 활동가가 페이스북을 통해서 노조 간부인 나의 태도를 지적했다.

> 전화를 끊고 잠시 멍했다. 그러고 한참을 생각해 보니 전화 응대가 크게 잘못된 건 아니라는 생각도 든다. 그래도 내가 니가 부르모 가고 안 부르모 못 가는 사람은 아이다 아이가? 내가 노래할 데가 없어서 노래하게 해 달라고 부탁하려고 전화한 것도 아이다 아이가? 내가 아쉬워서 니한테 전화한 것도 아이다 아이가? 언제까지는 일정이 잡혔고 언제부터는 없는데 그때 한 번 오면 좋을 거 같다고 얘기해도 개안타 아이가? 전화 끊고 혼자 민망해서 혼났다 아이가?

페이스북 글을 보고 아차 싶었다. 전국에서 지원받다 보니 학교로 찾아오는 문화활동가의 연대가 당연한 일로 생각되었다. 노조 간부라는 작은 권력에 취해 연대활동가가 어렵게 낸 시간을 함부로 거절하는 일이 잦아졌다. 부랴부랴 전화를 걸었지만, 상대가 업무로 바빠 통화가 힘들었다. 어떻게든 미안한 마음을 전달하기 위해 페이스북에 댓글을 남겼다.

최근 신라대 청소노동자 투쟁에 많은 공연 연대로 많은 분의 과분한 사랑을 받고 있습니다. 처음에는 저희도 공연 오신다고 하면 시간 상관없이 공연팀을 많이 받았습니다. 그렇게 하니 공연 시간이 길어지고 종일 농성 투쟁하는 조합원들이 지치는 상황이 많았습니다. 그래서 저희 내부에서는 하루에 한 팀으로 제한을 두고, 특별한 날엔 여러 팀 공연하는 걸로 문화제 시간을 조절하자는 이야기가 나왔습니다. 오신다고 하시는 날짜에 공연이 이미 예약되어 있어 비는 날이 생긴다면 연락을 드린다고 했습니다. 이런 얘기를 자세히 전하지 못해 죄송합니다.

그 문화활동가는 나만을 비판하기 위한 것이 아니라 작은 권력에 취해 연대활동가를 함부로 대하는 노동조합 간부 전체를 비판하는 글이라며, 다음에 만날 때는 웃으면 반갑게 인사하자고 말했다. 그는 그 후 여러 차례 농성장을 방문해 노래 공연했다. 올 때마다 주변 사람들로부터 투쟁지원금을 모아 오기도 했다.

청소년 활동가의 흡연

농성장에 청소년 단체 활동가가 자주 찾아왔다. 청소년 활동가를 보니 예전에 활동했던 경험이 떠올랐다. 나는 고등학생 때 청소년운동 단체 '작은숲'에서 사회운동을 시작했다. 2003년 고등학생 시절 같은 반 친구가 머리가 길어 선생님에게 혼난 적이 있다. 그 친구는 선생님의 훈계에 반발하며 교실을 박차고 뛰쳐나갔다. 친구는 머리 길이가 학업과 무슨 상관이냐고 했다. 서태지와아이들의 〈교실 이데아〉 가사 한 구절처럼 친구는 부당함을 바꾸기 위해 저항했다.

"됐어!(됐어!) 됐어!(됐어!) 이제 그런 가르침은 됐어! (중략) 왜 바꾸지 않고 마음을 졸이며 젊은 날을 헤매일까. 바꾸지 않고 남이 바꾸길 바라고만 있을까!"

친구의 저항에 나 또한 동조하며 선생님께 대들었다. 물론 나는 소심해서 친구와 함께 학교를 뛰쳐나가진 못했다. 대신 그 뒤 친구가 활동하는 청소년 단체 작은숲에 관심을 가지게 되어 가입했다. 청소년운동의 경험은 20여 년이 지난 지금까지 큰 영향을 미치고 있다.

청소년운동 내에서는 나이와 상관없이 서로 말을 놓거나 존대한다. 사회에서 나이 순으로 서열을 나누는 것과 달리 말이다. 나이와 성별, 직업 등에 따라 사람을 나누지 않고 평등한 관계를 맺기 위한 운동 문화다. 또한 섹스와 음주, 흡연에 대해서 너그러웠다. 사회 금기에 저항하며 평등한 세상을 향해 실천하는 것이 청소년 단체의 핵심 가치이다.

청소년 단체 활동가의 연대가 반가우면서 걱정되는 점이 있었다. 나는 청소년운동을 거쳐 대학생운동에 입문하면서 적잖이 충격을 받았다. 운동하는 사람은 모두에게 존대하며 권위적이지 않을 것으로 생각했다. 하지만 활동가 선배 중에 권위적인 사람도 있었고 나이에 따라 서열 나누는 것을 중시하는 사람도 많았다. 그래서 중년의 현장 조합원들이 청소년 활동가들을 마냥 어린아이 취급하지 않을까 조마조마했다. 다행히 조합원들은 나이와 상관없이 연대활동가들에게 꼬박꼬박 존대했다. 10년간 노조 활동을 경험한 조합원들은 청소년 활동가들과 평등한 관계를 만들려고 노력했다. 그런데도 용납이 안 되는 부분을 조심스럽게 털어놨다.

"청소년 활동가들이 농성장에서 자유롭게 담배 피고 술 마시는 게 보기가 조금 그래요. 농성장 와서 술, 담배와 같은 안 좋은 것만 배워 가는 거 아닌가 싶어서요. 부모님이 알게 되면 어떻게 생각할지 걱정도 돼요. 우리가 이야기하려고 하니 괜한 갈등이 생길까 봐 이야기는 못하겠어요."

청소년 단체 운동을 경험했던 나는 조합원의 문제 제기를 그대로 청소년 활동가에게 전할 수는 없었다. 그렇다고 조합원에게 청소년 운동 내에서 음주에 대한 과도한 억압을 저항하는 흐름이 있어 제지하기 힘들다고 말하기도 어려웠다. 물론 나는 청소년뿐만 아니라 성인에게도 담배와 술을 권하는 것에 동의하지 않는다. 굳이 건강에 나쁜 걸 스스로 하겠다면 말릴 수는 없지만 권하진 않아야 한다고 본다. 그러나 이번에는 말려야 했다. 잘못 이야기했다가 청소년 활동가가 연대의 발길을 끊을까 봐 에둘러 현장 의견을 전달했다.

"농성장 근처에서 담배 피우는 것을 자제할 수 있을까요? 담배를 피우라 말라 할 수 있는 권한이 제게 있는 건 아니지만, 학교 관계자들이 괜한 트집을 잡을까 우려돼서요. 청소노동자가 청소년에게 술과 담배를 하는 자리를 만들어 줬다는 비판을 받을 것 같아서요. 이곳에서만 자제를 부탁드릴게요."

청소년 활동가는 나의 부탁을 이해했고 그날 이후 농성장에서 흡연하지 않았다.

그 밖에 연대활동가와 갈등이 몇 건 더 있었다. 농성 투쟁하다 보면 늦게까지 농성장을 지키는 사람이 있다. 조합원에게 큰 힘이 된다. 하지만 농성장에서 늦게까지 술을 마시는 연대활동가는 환영받지 못했다. 농성장은 밤 10시 정도 되면 자기 위해 불을 끈다. 시간이 지날수록 농성에 지쳐 취침 시간이 빨라졌다. 그렇다 보니 늦게까지 술을 마시는 연대활동가가 부담스러웠다. 예정된 프로그램이면 상관없는데 주로 활동가들끼리 술자리가 길어지곤 했다. 시간을 내서 학교를 찾아온 활동가에게 나가라고 할 수도 없었다.

내가 악역을 맡기로 했다. 2014년 농성 당시 늦게까지 술을 먹고 행패를 부렸던 진상 연대활동가에 관한 얘기를 귀가 따갑도록 들었다. 이번에는 그런 일이 없도록 철저하게 단속해야 했다. 밤 9시까지만 연대활동가들 술자리를 허용하고 그 이후에는 강제로 정리하기로 마음먹었다. 모두가 늦은 시간까지 뒤풀이하는 특별한 날에는 시간을 제한하지 않았다. 연대활동가들끼리 술자리가 길어질 때만 시간을 제한했다. 연대활동가들은 대부분 통제에 따랐지만, 조직부장이 칼같이 사람들을 쫓아낸다며 섭섭해하기도 했다. 다행히 이번 농성에 새벽까지 술을 마시고 행패를 부리는 활동가는 없었다.

사람 정현실

청소노동자는 주로 여성이다. 신라대 또한 한 명을 제외하고 50명이 여성이다. 노조 하면 대공장 정규직 노동자가 먼저 떠올라 활동이 남성 중심적이라는 편견이 강하다. 조직의 리더도 남성이고 노조의 전략과 사업 집행 모두 남성 활동가의 전유물이라고 생각하기 쉽다. 나 또한 그런 편견에 빠져 있었다.

농성 시작 전에 걱정이 됐다. 노조 일을 처음 시작했는데 부모뻘 되는 노동자들이 조직부장인 내 말을 잘 따라 줄지, 현장의 모든 실무를 감당할 수 있을지 걱정됐다. 노동조합 활동이 처음이었던 나는 현장의 일을 남자인 노조 상근자가 다 감당해야 한다고 착각했다.

신라대 농성이 시작되자 그러한 걱정은 편견이라는 사실을 깨달았다. 신라대지회 청소노동자들은 농성이 처음이 아니었다. 조합원들은 2014년 79일간의 농성 투쟁 경험이 있어 농성에 관해 누구보다 잘 알고 있었다. 2월 23일 농성이 시작되자 조합원들은 일사불란하게 농성장을 차렸다. 대학 본부 1층 공간 한 모퉁이를 농성 시작 하루 만에 부엌으로 만들어 버렸다. 내가 거들려고 하면 조합원들은 늘 이렇게 말했다.

"농성장 운영은 우리 몫입니다. 부장님은 자기 일에 집중하세요."

부산일반노조 신라대지회는 각자의 역할이 나뉘어 있었다. 우선 현장 대표는 정현실 지회장이다. 지회장은 조직의 리더로서 신라대 투쟁을 진두지휘한다. 농성 투쟁 전체를 기획하고 매일 계획을 점검해 조합원들에게 역할을 배분한다. 언론 인터뷰도 지회장 몫이다. 사람들이 지루해하면 민중가요에 맞춰 율동을 가르칠 정도의 만능 엔터테이너다.

둘째, 지회 총무다. 총무는 농성 살림을 책임지는 역할이다. 농성장에 음식이 끊기지 않도록 늘 재정을 관리한다. 신라대 농성 시작할 때 재정이 매우 어려웠다. 총무는 늘 절약해야 하는 처지고 조합원들은 제대로 된 식사를 원해서 충돌할 일이 많았다. 그걸 조율하고 농성장 살림을 책임지는 사람이 총무다. 총무는 늘 바쁘게 뛰어다니며 농성장과 조합원을 챙겼다. 재정과 음식뿐만 아니라 조합원들의 불편을 듣고 개선하기 위해 노력했다.

셋째, 지회 조직부장과 쟁의부장이다. 조직부장과 쟁의부장은 선전전, 집회 등 투쟁 일정과 세세한 투쟁 물품을 챙기는 역할이다. 어떻게 선전전을 해야 학생들이 우리 이야기를 더 잘 들을 수 있을지 고민한다. 전체적인 투쟁 계획은 지회가 아닌 노조에서 짜는데, 현장과 동떨어진 계획이 나올 때 건의하는 역할을 한다.

"아침 등교 시간 유인물 배포를 잠시 중단했으면 해요. 이미 많은 학생이 우리 사안을 알고 있고 유인물 배포도 할 만큼 해서 오히려 학생들 바쁜 등굣길에 역효과가 나는 것 같아요. 남은 유인물은 학내 우편함과 차량에 끼우는 게 더 낫지 싶어요."

쟁의부장은 투쟁 소식을 알리기 위해 SNS를 한다. 페이스북 개인 계정을 만들어서 투쟁 이야기와 사진을 올린다. 실제 쟁의부장 페이스북을 통해 신라대 문제의 심각성을 깨닫고 연대하러 오는 사람들이 많았다. 그리고 다른 투쟁사업장에 갈 때 연대사를 하기도 한다. 쟁의부장이 우렁찬 목소리로 연대사를 하면 현장 노동자들의 우레와 같은 박수가 쏟아졌다.

넷째, 교육부장과 요리사 조합원이다. 교육부장은 교육 시간에 조합원들이 빠지지 않도록 점검하는 역할을 한다. 또 코로나19 방역을 위해 농성장 방문자의 체온 점검과 방명록 작성을 맡는다. 연대활동가가 많이 방문하는 날에는 몇 시간씩 서서 방문자를 꼼꼼히 챙긴다.

"교육부장님, 다리도 아픈데 앉아서 하세요."

"아닙니다. 서서 연대활동가를 반갑게 맞이하는 게 제 역할입니다."

요리사 조합원은 현장 조합원의 식사를 책임진다. 신라대지회 농성 식사는 모두 현장에서 이루어진다. 식사 준비는 준비팀이 돌아가며 하고, 요리사 조합원들이 음식을 만든다. 총무가 식사 관련한 조합원들의 불만을 접수해 오면 요리사 조합원들은 온 힘을 다해 맛있는 음식을 만든다.

농성을 시작할 때 엄마와 이모뻘 되는 조합원들을 어떻게 불러야 할지 난감했다. 직책이 있는 간부 조합원은 직책을 부르면 되었지만, 평조합원 호칭이 애매했다. ○○○ 조합원님이라고 불러도 되지만 노동조합에서는 그렇게 잘 부르지 않는다. 내가 조합원들에 비해 어려서 친근하게 보이기 위해 '누님'이라고 부르면 어떠냐고 조합원들에게 물었다.

"누님은 아니죠. 누님이라 하기엔 부장님 나이가 우리 아들이랑 비슷한데 누님은 부담스러워요. 어차피 우리가 같은 뜻을 가지고 농성장에 모인 만큼 동지라고 부르면 어떨까 싶어요. 이모라고 부르기도 좀 그렇고요."

사회운동 경력이 10년이 넘었지만, 노동운동 시작 전에는 '동지'라는 말이 익숙하지 않았다. 나이가 비슷한 사람들과는 쉽게 동지라는 말이 나왔다. 하지만 나이가 많이 차이 나는 사람들에게는 익숙지 않았다. 왠지 선생님, 선배님, 형님, 누님처럼 '님' 자를 붙여야 할 것 같았다. 그래서 처음에는 '○○○ 동지님'이라고 불렀다.

"동지님이 뭐예요? 동지라고 부르는 게 서로 평등하다는 의미인데 거기다 님을 붙이면 이상한 단어가 되잖아요. 그냥 동지라고 하세요."

호칭은 '동지'로 통일하기로 했다. 나만 어색했을 뿐 조합원들은 익숙했다. 조합원들은 학교로 연대 오는 활동가들에게 '○○○ 동지'라고 자연스럽게 불렀다. 동지라는 호칭도 친근감이 느껴진다는 것을 농성 투쟁하면서 알았다.

엄마나 아줌마 아닌 '지회장님'

"노조 활동 전에는 주변 사람들이 저를 '○○○ 엄마' 혹은 '아줌마'라고 불렀어요. 근데 여기서 간부가 되면 직책을 부르고 그렇지 않을 때도 서로 각자의 이름을 불러요. 노조 활동을 통해 저는 누군가 존재 뒤에 있는 사람이 아니라 정현실이 되었습니다."

50~60대 조합원들은 여자가 일하는 것을 인정받지 못하는 시대를 살았다. 여자는 집에서 가족 식사를 챙기고 아이를 돌보는 역할을 해야 한다고 교육받았다. 그렇다 보니 농성을 시작하면서 가족을 돌보지 못해서 걱정된다고 말했다. 하지만 시간이 지날수록 부채감보다 일탈감이 느껴진다고 말하는 사람들이 늘었다.

"처음에는 남편과 자식들 식사 때문에 걱정이 많았어요. 가족들 위해서 농성 접고 집에 들어가야 할지 고민을 많이 했죠. 근데 시간이 지날수록 집에서 밥하지 않는 게 이렇게 편할 수가 없더라고요. 가족들이 알아서 밥만 챙겨 먹는다면 남은 인생은 밥 안 하며 살고 싶어요."

조합원들은 농성을 시작하고 처음에는 가족에게 지지받지 못했다고 한다.

"처음에 남편과 많이 싸웠어요. 근데 시간이 지날수록 집에서 내가 청소, 빨래, 요리 등 다 책임지고 했다는 걸 식구들이 깨닫더라고요. 그래서 투쟁 꼭 이겨서 빨리 집으로 돌아오라고 오히려 응원하더라고요. 시키지도 않았는데 남편이 음식이나 투쟁 물품을 후원하기도 했어요."

정현실 지회장 남편은 집에서 부인이 설거지하면서 노래를 흥얼거리며 팔뚝질하는 모습을 보고 처음에는 놀랐다고 한다. 그러나 익숙해지자 농성장 걱정되면 빨리 가 보라고 집을 비우는 것을 오히려 부추긴다고 말했다.

농성 초반에는 가족 이야기만 나와도 조합원들 눈시울이 붉어졌다. 가족에게 편지를 보내자고 제안하기도 했지만, 조합원들은 "농성장을 눈물바다로 만들 거냐"며 거절했다. 농성 투쟁으로 집을 비워 가족에게 그저 미안할 뿐이라고 했다. 하지만 농성이 하나의 일상이 되자 가족과 관계가 돈독해진 경우가 많았다. 매일 보며 싸우는 일이 많았은데, 농성 이후에는 일주일에 한 번 밖에 못 보니 싸우는 일이 줄었다고 한다. 사소한 일 가지고 잔소리하거나 트집 잡는 일도 없어졌다.

오히려 조합원이 귀가하는 날을 가족이 애틋하게 기다렸다고 한다.

연예인 김보성은 텔레비전에 출연할 때마다 "남자는 의리"를 외친다. 의리 있는 사람은 도리를 잘 지키며, 친구 부탁이라면 간·쓸개도 빼줄 정도로 인간적이라고 한다. 실제로 김보성은 2020년 대구 지역 코로나19 전염이 급증했을 때 마스크 부족으로 어려움을 겪는 시민들을 위해 마스크를 트럭째 싣고 달려갔다. 그뿐만 아니라 2014년 세월호 참사 당시 유가족의 슬픔에 공감하며 천만 원을 기부하는 의리를 보여 줬다. 이렇게 한국 사회에서 의리는 남자의 전유물로 여겨진다. 그렇다면 여자에게는 의리가 없을까? 보통 '남자는 의리, 여자는 실리'라는 말이 말해 주듯 여자는 실속을 먼저 챙긴다고 깎아내린다.

신라대 조합원의 나이는 50대 중반에서 60대 중반이다. 50대 초반 혹은 40대 중반에 일을 시작해 지금까지 이어오고 있다. 그중 만 65세 정년을 앞두고 농성장을 지킨 사람들이 있었다. 2021년 농성에 승리해 복직해도 1년만 더 하면 정년퇴직할 나이였다. 사실 농성을 포기하고 집으로 돌아가도 아무도 뭐라 할 수 없었다. 그런데도 그들은 끝까지 농성장을 지켰다.

"퇴직 1년 남은 언니들이 가족들에게 타박을 많이 받았어요. 어차피 1년 밖에 못 다니지 않냐, 언제 끝날지 모르는데 왜 위험하게 투쟁하냐고 가족들이 찾아와서 설득할 정도였어요. 그런데도 언니들은 끝까지 농성장을 지켰어요. 남자들만 의리 있는 게 아니거든요. 언니들은 의리로 농성장에 앉아 있던 거였어요(정현실 지회장)."

이처럼 집단해고에 맞서 싸운 신라대 청소노동자 투쟁은 노동자의 권리를 회복하는 싸움일 뿐 아니라, 한국 사회의 가부장제를 넘어서는 싸움이기도 했다.

"우리는 페미니즘이나 노동운동은 잘 몰라요. 노조 하면서 나라는 사람이 사람답게 대접받기 위해 무엇을 해야 할지 고민했을 뿐입니다. 그저 일자리를 지키기 위한 싸움으로 시작했는데 우리가 몰랐던 세계에 관해서도 많이 알게 되는 것 같아요. 여자들만 집안일하는 게 문제가 있음을 알게 되었어요. 여자가 바쁘면 남자가 집안일해야죠. 노조를 통해 인간답게 살 권리를 알게 되었다면 투쟁을 통해서 성적으로 평등한 삶을 살게 되었어요(정현실 지회장)."

농성장에 간부 상석이 있는 것 같아요

114일 농성 투쟁하면서 가장 마음이 쓰였던 것은 식사였다. 매일 삼시세끼를 조합원들이 직접 준비하다 보니 쉽지 않았다. 40명의 입맛에 맞춰 메뉴를 매일 바꾸는 게 생각보다 어려웠다. 그리고 투쟁에 집중해야 하는 상황에도 굶을 수는 없으므로 식사는 늘 고민이었다.

두 번째는 빨래였다. 주말을 빼고 조합원들이 집에 가지 않고 농성장을 지키므로 빨래가 많았다. 날씨가 더워질수록 더 쌓였다. 다행히 학교에 세탁기가 있어서 빨래할 수 있었다. 하지만 세탁기가 많지 않아 40명이 돌아가며 써야 했고, 농성장과 멀리 떨어져 있어서 세탁 시간이 2~3시간 걸렸다. 심지어 조합원들은 나와 위원장의 수건을 빨아 주기도 했다. 빨래는 우리 손으로 하겠다고 말했지만, 자리를 비운 사이 조합원들이 수건을 싹 걷어 세탁기에 돌려 버렸다. 농성장에 와서도 식사와 빨래와 같은 일로 투쟁에 집중하지 못하는 상황이 못내 마음 쓰였다.

투쟁 현장에 농성장을 차리면 매번 성평등 문제가 지적되었다. 투쟁 일정으로 바쁜데도 농성장 살림은 여자 몫이었기 때문이다. 최근 투쟁 현장에는 성적으로 평등한 문화를 만들기 위해 새로운 방법을 도입하고 있다. 2019년 고속도로 톨게이트 요금수납원 투쟁에는 빨래를 세탁소에 맡겼다. 빨래하기 힘든 현장 상황도 있었지만, 투쟁하기 바쁜 조합원들에게 빨래하게 하지 않겠다는 집행부의 의지가 강했다. 서울 LG 트윈타워 청소노동자 또한 삼시세끼를 직접 해 먹지 않고 도시락과 외부 음식으로 해결했다. 물론 돈이 많이 들기 때문에 소규모 사업장 농성에서는 쉽지 않다. 그래도 여성 조합원들이 살림을 최소화하는 방법과 재정이 우선 고민되어야 한다. 그렇게 하지 않으면 결국 투쟁 현장에서 살림은 여성 조합원에게 암묵적으로 강요된다.

우리는 농성장(대학 본부 로비) 바닥에 은박 돌돌이(정식 제품명은 '은박 발포지')를 깔고 밥을 먹었다. 부엌에서 음식을 받아 삼삼오오 앉아 먹었다. 배식은 선착순이기 때문에 먼저 온 사람이 자리를 선택할 수 있다. 하지만 조합원들이 절대 앉지 않는 자리가 있다. 바로 나와 위원장이 숙식하는 곳이다. 위원장은 같이 식사하자고 하지만 조합원들은 손사래를 치며 도망갔다. 노조 간부와 식사가 불편해서 피하는 것 같다고 생각하고 아무렇지 않게 넘겼다.

3월 중순쯤 경북에서 온 연대활동가 두 명이 농성장에서 함께 식사했다. 자연스럽게 조합원은 조합원대로 식사하고 연대활동가들은 간부들과 함께 식사했다. 연대활동가 한 분이 간부 식사 공간이 상석이 되고 있다며 걱정했다.

"제가 오늘 연대 와서 식사해 보니 식사 시간에 조합원과 간부 사이에 거리가 너무 멀어 보여요. 간부들이 식사하는 공간이 상석이 되는 것 같아요. 옛날 남자와 여자가 밥을 따로 먹는 풍경 같아 보여 좋지 않네요. 농성 투쟁에서 간부들이 조합원들과 섞이며 자연스럽게 스며들어야 한다고 생각해요. 식사 시간 아니면 사실 조합원들이랑 마주 앉아 이야기 나눌 시간도 많지 않고요. 참고해 주세요."

연대활동가의 말을 듣고 상석을 없애기 위해 여러 가지를 시도했다. 처음에는 간부들이 앉는 공간에 조합원이 앉아도 된다며 함께 식사하자고 말했다. 여러 번 반복하니 현장 간부들은 나와 위원장과 함께 둘러앉아 식사했다. 하지만 평조합원은 절대 오지 않았다. 그러면서 조합원에게 이래라 저래라 하는 권위적인 나를 발견했다. 내가 먼저 조합원들에게 다가갈 생각은 하지 않고 조합원들이 이쪽으로 와서 식사하라고 명령하고 있었다. 다른 방법을 쓰기로 했다.

이후 일부러 이곳저곳 돌아다니며 매일 다른 자리에서 밥을 먹었다. 짧은 식사 시간에 조합원들과 많은 이야기를 나눴다. 건의 사항, 일정, 개인사 등 식사 시간을 통해 한결 가까워졌다. 내가 결혼 준비로 겪는 소소한 문제들을 상담하기도 했다. 만약 경북 연대활동가의 지적이 아니었다면 114일 동안 나는 지회장하고만 소통하며 지냈을 것이다.

강성 투쟁과 속도 조절 투쟁

4월 1일 총장과 3차 면담 이후 60일 정도 학교와 교섭이 없었다. 4~5월은 농성 기간 중 가장 힘든 때였다. 농성은 길어지는데 학교의 반응이 없으니 조합원들은 답답했다. 새로운 방법으로 강도 높은 투쟁을 벌여야 한다는 의견이 많았다.

농성 투쟁이 처음이 아닌 조합원은 2014년과 2021년 투쟁을 비교했다. 2014년 투쟁은 앞서 이야기했듯이, 강도 높은 투쟁 방법을 동원했다. 학교와 용역 업체의 노조 탄압에 대응해 고공 농성을 벌였다. 고공 농성도 힘든데 단식 투쟁도 함께했다. 마지막 날에는 총장이 국회의원과 합의할 때까지 총장실 앞에서 대기하며 끝장 투쟁을 벌였다. 농성 투쟁에서 할 수 있는 방법을 모두 동원한 셈이다. 2014년의 기억은 강렬했고, 조합원들은 그때만큼 해야 승리할 수 있다는 감각을 지니고 있었다.

2021년 농성 투쟁에는 고공 농성도 없고 단식 투쟁도 없었다. 등하교·점심 선전전과 투쟁문화제 등 비교적 안정적인 투쟁 프로그램을 진행했다. 어느 날 이런 투쟁 방식이 성에 차지 않은 조합원이 내게 조심스레 문제를 제기했다.

"우리 지금 두 달 넘어가는데 맨날 학교 상대로 선전전만 한다고 반응이 있겠어요? 2014년 농성처럼 투쟁 수위를 높여야 총장도 겁이 나서 교섭을 재개하지 않겠어요? 이렇게 가만히 있다가는 아무것도 바뀌지 않을 것 같아요."

2014년 농성 투쟁 이야기를 귀가 따갑게 들었다. 그때와 비교를 자주 당하다 보니 조직부장인 나는 조바심이 났다. 이대로 조용히 있을 수만은 없다는 생각이 들었다. 간부 회의에서 강도 높은 투쟁을 제안했다.

"동지들, 지금 이대로 조용히 투쟁을 전개하는 것에 대해 불만이 많은 것으로 알고 있어요. 학교도 무대응으로 대처하는 상황이고요. 그렇다면 학교에서 가장 두려워하는 존재들에게 경고 메시지를 강하게 주면 어떨까 싶어요. 학교는 학생들을 가장 무서워해요. 학생들이 반응하면 빠르게 조처해요. 당장 방송차가 학생들에게 큰 피해를 주고 있다는 것이 확인되고 있어요. 그렇다면 방송차 3~4대를 빌려 학교 곳곳에 배치해 종일 민중가요를 틀면 어떨까요?"

정적인 투쟁에 답답함을 느낀 조합원 몇몇이 내 제안에 호응했다. 하지만 지회장과 간부 대부분은 방송차 소음 투쟁을 반대했다.

"조직부장님이 조합원들 답답한 마음을 듣고 생각하신 제안이라 생각해요. 하지만 학생들을 더 자극하는 방법은 동의하지 않아요. 저희가 현재 방송차 한 대로 투쟁하고 있는데 그것조차 학생들이 피해를 받는다며 이곳저곳 불만이 이어지고 있어요. 더 많은 방송차 배치는 오히려 역효과가 날 수 있어요. 지금 우리 투쟁을 응원하는 학생들도 방송차 3~4대가 종일 시끄럽게 하면 지지를 접을 거예요. 너무 무리한 방법이에요."

결국 방송차 증차 투쟁은 집행되지 않았다. 투쟁 수위를 높이기 위한 다른 방법을 찾아야 했다. 노조위원장은 2014년과 2021년 농성 투쟁이 다르게 흘러가고 있다고 말했다.

"우리 농성 너무 조급해하면 안 돼요. 우리 첫눈 올 때까지 느긋하게 투쟁한다고 농성 시작할 때 약속했잖아요. 아직 봄도 안 지났는데 벌써 지치면 어떻게 합니까? 예전 투쟁과 2021년 투쟁이 비교된다는 이야기를 많이 들었어요. 2014년 농성은 총장이 노조를 단 한 번도 만나지 않고 대화상대로 생각하지 않았어요. 하지만 2021년 농성은 총장과 직접 면담만 네 차례 진행했고 정식교섭 자리도 조만간 진행될 거로 생각합니다. 상황 변화에 따라 투쟁 수위를 적절히 배치하겠습니다. 동지들, 조급해하지 마시고 매일 하던 대로 농성 프로그램 잘

수행해 주세요."

위원장 말대로 2014년과 2021년의 상황은 달랐다. 2014년 총장은 노조를 단 한 번도 만나주지 않았다. 하지만 2021년에는 농성에 들어가기 전에 1번, 들어가고 나서 3번 총장과 직접 면담했다. 정식교섭을 만들기 위한 대화 창구가 닫히지 않는 상황에서 선불리 학교를 자극할 필요는 없었다. 그런데도 4월 말이 되자 날씨가 따뜻해지고 조합원들 마음도 뒤숭숭해져 투쟁 전략을 수정할 필요가 있었다.

SNS로 소통하다

우선, 지금 당장 할 수 있는 일을 찾았다. 농성 투쟁 시작하고 조합원 모두 페이스북 계정을 만들었다. 하지만 제대로 운영되지 않고 있었다. 평소에 하지 않다가 투쟁 때 하려니 쉽지 않았다. 그래서 사진 찍고 글 쓰는 것을 즐거워하는 몇몇 조합원에게 페이스북에 콘텐츠를 자주 올려 달라고 부탁했다. 페이스북 친구를 많이 만들어 신라대로 지지 방문하러 올 수 있게 해 달라고 했다. 조합원들은 글 올릴 때마다 진땀을 뺐다.

"사진을 내가 첨부했는데 안 나와요. 이거 어디로 갔을까요? 대신 좀 해 봐요."

"글이 나만보기로만 되어 있어요. 나는 분명 글 썼는데 주변 사람들은 글이 안 보인대요."

"친구 신청 많이 들어오는데 아무나 받아도 됩니까? 이상한 사람도 있는 것 같은데."

처음 페이스북을 접한 조합원들의 질문이 한동안 이어졌다. 특히 나를 졸졸 따라다니며 안 되는 게 생기면 휴대전화기를 보여주며 해결 방법을 알려 달라는 조합원이 있었다. 다른 조합원들은 한두 번 하고 마는데 유독 이 조합원은 열심히 배워 글을 올렸다. 처음에는 글이 짧고 사진 구도도 엉망이었다. 글은 한 줄을 넘기는 법이 없었고, 사진은 사람이 안 보이거나 현수막 글귀가 잘려 있었다. 당연히 그 조합원의 페이스북은 인기가 없었다. 친구를 신청하는 사람도 드물었다. 하지만 투쟁한 지 두 달이 지났을 때는 200명의 페친이 생겼고 여러 사람이 그의 콘텐츠를 공유했다.

인기 비결은 생생한 현장 이야기였다. 노조에는 페이스북 계정이 따로 있었다. 내가 노조의 공식 입장과 현장 상황을 알리는 용도로 그 계정을 사용했다. 사실 중심으로 글을 올리다 보니 현장 분위기를 생생하게 전달하지 못했다. 한마디로 재미가 없었다. 하지만 그 조합원의 글은 달랐다. 현장 이야기에 마음을 실으니 많은 사람이 공감하며 재밌어했다.

농성 들어가기 전날 점을 보러 갔다. 보살 선생이 말하길 한 달만 싸워 보라고 했다. 3월 26일 밤 우리는 희망스러운 소식을 접했다. 총장 면담을 통해서 해고 철회에 대한 의지를 확인했다. 와우, 점 잘 보는 집이라 생각했다. 하지만 30일 총장이 말을 번복했다. 교육자라는 사람이 거짓말을 밥 먹듯이 하면 쓰나. 가방끈 짧은 나도 대학에 청소노동자를 모두 해고하는 건 말도 안 되는 걸 아는데 말이다. 많이 배워 봤자 소용없는 것 같다. 내로라하는 민주노총 동지들이 신라대 집단해고 박살 내기 위해 힘을 팍팍 실어주기를 단결 투쟁!

그 조합원이 농성 들어오기 전에 점 본 이야기는 전국의 연대활동가들에게 널리 퍼졌다. 농성에 돌입하는 불안한 마음을 잘 표현해서 반응이 뜨거웠다. 이후 그 조합원은 페이스북을 통해서 연대활동가들과 실시간으로 소통했다. 그의 글에 화답해 전국의 많은 활동가가 신라대로 달려왔다. 신라대 조합원들은 SNS를 통해 전국 연대를 만들었다.

페이스북 이외에도 인터넷 언론에 신라대 투쟁 이야기를 기고했다. 처음에는 지역 언론의 취재가 많았다. 하지만 시간이 지날수록 신라대 이야기를 다루는 빈도가 줄었다. 새로운 이야기가 없으니 언론에서 관심이 덜한 것은 어쩔 수 없었다. 그래서 직접 〈오마이뉴스〉와 〈여성신문〉에 투고했다. 인터넷 언론에 기고한 까닭은 신라대를 인터넷으로 검색했을 때 무조건 청소노동자 문제가 맨 위에 뜨게 만들기 위해서였다. 검색했는데 나오지 않는다면, 사람들의 관심에서 점점 멀어질 것 같은 위기감이 들었다. 다행히 기사는 메인에 자주 배치되어서 사람들에게 많이 노출되었다. 기사를 읽고 농성 투쟁이 어렵게 진행된다는 사실을 알고 전국 활동가들이 신라대로 달려왔다.

라디오 방송에도 사연을 수십 번 보냈다. 청소노동자가 전원 해고되어 24시간 학교에서 농성한다는 소식에 부산MBC 〈라디오 시민세상〉, 〈자갈치 아지매〉에서 섭외 요청이 왔다. 정현실 지회장은 라디오 생방송에 출연해 투쟁 소식을 전했다. 〈자갈치 아지매〉는 오랜 역사를 가진 프로그램으로 많은 사람이 출근 시간에 애청한다. 지회장은 생방송에서 떨지 않고 당당하게 이야기를 풀어 나갔다. 주변 지인들이 신라대 소식을 잘 들었다며 연락했다. 농성 승리를 위해 필요한 게 없냐며 후원금을 보냈다.

신문과 방송을 통해 농성 투쟁이 알려지자 농성장 분위기가 살아났다. 조합원들은 아무도 신경 쓰지 않는다고 한숨을 푹푹 쉬며 힘들어했는데, 지회장이 자주 방송에 출연하니 위로가 된다고 말했다. 농성 투쟁에서는 사람들에게 잊히지 않게 하는 것이 조합원들에게 중요함을 깨달았다.

화장실 투쟁

5월 27일 세종시 정부청사에 있는 교육부를 찾아갔다. 신라대가 형편이 어려워 청소노동자를 해고하고 용역비를 삭감했으면서 기관장 업무추진비는 다른 학교에 비해 높게 책정했기 때문이다. 우리는 곧바로 교육부에 감사를 청구했다. 내용은 2019년 10월부터 2021년 4월까지 '산학협력 추진을 위한 유관기관 업무협의'로 지출된 22건, '대학 주요 정책 추진을 위한 유관기관 업무협의' 101건, '노동 및 노무 업무 관련 대외기관 업무협의' 9건, 토·일·공휴일에 지출된 38건의 업무추진비 사용이었다. 조교 인건비를 22억 1,401만 4,000원에서 19억 552만 원으로 13.9퍼센트, 임시직 인건비를 23억 9,942만 2,000원에서 21억 3,261만 1,000원으로 11.1퍼센트, 시설용역비를 25억 2,878만 8,000원에서 8억 4,218만 8,000원으로 66.7퍼센트 줄인 이유도 감사로 밝혀 달라고 요구했다.

1시간 동안 교육부 앞에서 마이크를 들고 요청했지만, 감사청구를 위한 면담은 받아들여지지 않았다. 부산에서 세종시까지 3시간 넘게 차를 타고 온 조합원들은 화장실이 급했다. 화장실에 가려고 2명이 교육부로 들어가려 하자 경찰이 막아섰다. 경찰은 지침 때문에 교육부 화장실은 이용할 수 없고 다른 건물 화장실을 이용하라고 했다. 조합원은 화장실도 마음대로 가지 못하게 하는 경찰에 항의하며 실랑이를 벌였다.

"국민 세금으로 운영되는 교육부에 국민이 화장실 한 번 이용도 못 합니까? 우리가 교육부 안에 들어가서 화장실 이용 말고 뭘 더 하겠습니까? 정 불안하면 2인 1조로 조합원 1명에 경찰 2명 붙여서 교대로 다녀올 수 있게 해 주세요. 3시간 동안 버스를 타고 와서 화장실이 매우 급합니다."

경찰은 끝내 지침 때문에 불가하다고 최종 통보하고 집회 인원보다 많은 40~50명의 경찰을 배치했다. 더 이상 말이 통하지 않아 우리는 다른 건물 화장실을 이용했다.

면담은 포기하고 집회를 마친 뒤 부산으로 돌아가려는데 교육부 과장한테서 연락이 왔다. 화장실 문제가 교육부 관계자의 심기를 건드린 모양이다. 면담이 성사되어 위원장과 지회장이 참석했다. 사전에 준비한 내용을 전했고 교육부는 충분히 검토하겠다고 답했다.

5월 28일 〈매일노동뉴스〉 보도를 통해서 신라대 관계자는 "기관장 업무추진비는 지난해 1억 2,050만 원에서 8,900만 원으로 줄었고, 기타업무추진비를 신설한 이유는 전국 사립대에 적용되는 사학재무 기관 특례규칙에 따른 것"이라고 해명했다. 이 관계자는 다른 예산이 감소한 이유에 대해 "전체 예산을 줄이는 과정에서 청소용역비 등이 부담됐던 상황이었고 학교 규모를 보고 (예산을) 조정한 것"이라고 밝혔다.

신라대는 교육부 감사를 받지 않았지만, 교육부 투쟁은 문제 해결을 앞당기는 데 큰 역할을 했다.

총장 집 앞 투쟁

교육부 투쟁을 통해서도 해결이 되지 않아 우리는 총장이 사는 아파트 앞에 가서 집회를 열었다. 총장 집은 초등학교 앞에 있어서 학교 수업 시간을 피해 주로 주말 오전에 집회했다. 방식은 똑같았다. 민중가요를 틀고 규탄 발언하며 손 팻말과 현수막을 들고 서 있었다.

주말 아침마다 집회하다 보니 주민 민원이 많았다. 주말에 잠자는데 아침부터 시끄럽게 군다는 것이었다. 주민들은 내가 쓴 〈오마이뉴스〉 기사에도 댓글로 민원을 남겼다.

“신라대 총장이 우리 아파트 산다는데 주말 아침마다 와서 아침잠 방해하고 시위자들은 고성방가 가해자입니다. 신라대 학생들과 학습권 문제로 소송 들어간다던데 아파트 주민들과도 소송 들어가고 싶지 않으면 아파트 주민들에게 피해 그만 입히세요.”

반면 청소노동자를 전원 해고하는 대학이 어디 있냐며 조합원들에게 요구르트를 사 주며 응원하는 주민도 있었다.

지나가는 유튜버가 집회 현장을 촬영하기도 했다. 처음에는 누군가 싶어서 이름을 알려 달라고 했다. 검색해 보니 보수정치 유튜버였다. 나쁜 의도로 우리 투쟁에 접근한 줄 알았다. 나는 민주노총 소속

노동자들이 해고로 집회하고 있다고 말하며 '민주노총'을 강조했다. 민주노총이라는 말을 들으면 욕하며 촬영하지 않을 것 같았다.

"젊은 친구, 지금 민주노총이 중요합니까? 여기 아줌마들이 갑자기 해고당해서 밥줄 끊겼다는데 민주노총이면 어떻습니까? 민주노총도 서민을 위해 싸운다면 나는 편견 없이 찍어 우리 방송에 내보냅니다. 있는 그대로 여러분 집회하는 장면 찍을 테니 신경 쓰지 마시고 진행하세요."

보수 유튜버에 대한 나의 편견이 깨지는 순간이었다. 생존권 문제에는 이념을 가리지 않고 사람들이 공감한다는 것을 깨달은 인상 깊은 사건이었다.

총장 집 앞 투쟁은 학교와 노조의 교섭을 끌어낸 결정타였다. 집회가 계속되자 학교 실무팀은 정식 교섭단을 꾸려 노조에 교섭을 제안했다. 대신 총장 집 앞에서 집회하지 않는 것을 조건으로 제시했다. 노조는 조건을 받아들였고 정식교섭이 시작되었다.

신의 한 수

농성이 4월 말로 접어들었지만, 학교는 묵묵부답이었다. 3월까지만 해도 학교 여러 부서 간부들이 농성 문제를 해결하기 위해 노조를 찾았다. 하지만 4월부터는 발길을 끊었다. 처음에는 학교가 농성 투쟁을 무시하고 끝까지 청소노동자 없이 학교를 운영하겠다는 마음을 굳게 먹은 줄 알았다. 하지만 5월 1일 학교는 전면적인 인사를 단행했다.

5월 학교는 분주하게 움직였다. 청소노동자 집단해고를 앞장서서 추진했던 사무처장은 기숙사로 좌천되었다. 그리고 대학 본부 소속 간부들이 대거 교체되었다. 5월 초 며칠간은 대학 본부 앞에 이삿짐센터 대형 트럭 여러 대가 왔다 갔다 할 정도였다. 대대적인 인사를 통해 신라대는 학교 재정 위기와 청소노동자 문제를 동시에 해결하겠다는 의지를 간접적으로 보여 줬다.

신임 사무처장은 자리를 맡자마자 농성장을 찾았다. 새롭게 사무처장을 맡았는데 아직 인수인계가 안 돼 상황을 파악하고 있으니 조만간 공식적인 자리에서 만나자고 말했다. 이전 사무처장과 사뭇 다른 분위기였다. 신임 사무처장은 2014년 농성 투쟁 당시에도 합의 과정에서 역할한 인물로 조합원들 사이에 소문이 자자했다.

"사무처장이 예전에 우리 관리를 맡았던 적이 있었죠. 2014년 농성 투쟁 당시에도 우리와 만나서 이야기할 일이 많았어요. 입장이야 학교 사람이니 어쩔 수 없는데 우릴 막 무시하는 사람은 아니었거든요. 이번 신임 사무처장이 되었으니 사태 해결을 위해 노력할 것 같은 기대가 들어요(정현실 지회장)."

5월 25일 학교와 정식교섭이 시작되었다. 얼마 전 총장 면담과 달랐다. 총장과 면담은 주로 노조가 적극적으로 구애하고 총장이 수락하는 방식이었다. 하지만 상황이 달라졌다. 이제 학교가 적극적으로 노조에 사태 해결을 위해 러브콜을 보냈다. 학교는 1학기 안에 사태 해결을 위해 모든 노력을 다하겠다고 마음먹고 교섭에 임하는 듯했다. 비상사태인 만큼 학교는 간부들 이외에도 총학생회, 대학노조, 교수 등 학내의 다양한 구성원과 대응팀(TF팀)을 꾸려 해결책을 모색했다. 그러나 교섭은 단번에 타결되지 않았다. 5월 25일에 시작해 6월 16일에 합의했다. 합의하는 데 3주 걸렸다.

1차 교섭에 학교는 사무처장 이외에도 재무처장, 국제교류팀장, 노무 담당자 등이 참석해 정식교섭의 꼴을 갖추었다. 노조 또한 위원장, 지회장, 조합원 등 총 3명의 교섭단을 꾸려 교섭에 임했다. 노조의 요구는 간단했다. 직접고용을 보장해 고용 불안에 떨게 하는 일 없게 만들자는 것이었다. 그리고 정년을 만 65세로 하고 기존 근로조건을 유지하는 방향을 제시했다. 이전 용역 업체와 맺었던 단체협약에도 만 65세로 되어 있으므로 그대로 적용하라고 요구했다. 정년 문제는 60세 넘은 조합원들에게 중요한 문제라 교섭에 빠져서는 안 되었다.

학교도 직접고용을 받아들이겠다는 태도였다. 만약 학교가 초반 교섭부터 직접고용을 받아들이지 않고 간접고용을 고집했다면 조합원들은 가만히 있지 않았을 것이다. 2014년 농성 투쟁 승리로 간접고용을 보장받았지만 2020년 총장이 바뀌면서 또다시 고용이 불안해졌기 때문이다. 이번에는 무조건 직접고용을 쟁취해야만 했다. 학교 또한 용역 업체를 통해 노동자를 채용하는 방식이 비용 측면에서 비효율적이라고 판단하고 있었다. 그러나 학교는 몇 가지 전제 조건을 내걸었다.

학교는 학생, 교직원 등 학내 다양한 구성원을 설득하기 위한 명분이 필요하다고 말했다. 100일이 넘는 시간 동안 농성이 이어졌기에 학교도 합의를 위한 명분이 있어야 한다는 것이었다. 학교가 제시한 것은 노동시간 단축, 정년 만 60세 등이었다. 전원 복직을 약속하는 대신 노동시간 단축을 통해 임금 부담을 줄이고 만 60세 이상 노동자는 정리하는 방향을 제시했다.

순순히 받을 수 없는 요구였다. 청소노동자들은 신라대에서 일하면서 단 한 번도 최저임금 이상 받아 본 적이 없다. 식대와 같은 복리후생비를 노동조합 가입 후 쟁취했지만, 기본급 인상은 쟁취하지 못했다. 학교가 아무리 어렵더라도 최저임금밖에 되지 않는 기본급을 줄이기 위한 노동시간 단축을 받아들일 수는 없었다. 정년 만 60세도 마찬가지였다. 5월 교섭 당시 농성 투쟁에 남은 28명 중 12명이 만 60세 이상이었다. 이들을 버리고 젊은 사람들만 복직하는 것은 있을 수 없는 일이었다.

2차 교섭은 6월 1일에 열렸다. 학교가 제시한 노동시간 단축안과 정년 만 60세 안을 받을 수 없다고 못박았다. 학교 또한 굽히지 않았다. 싸움을 길게 끈 만큼 학교 또한 예산을 줄이는 방향으로 가야 했다. 학교는 기존 태도를 수정해 인원을 5명만 줄이자고 제안했다. 더더욱 현장에서 받기 힘든 제안이었다. 100일 넘게 찬 바닥에서 농성 투쟁을 이어가는 사람 중 5명만 선별해서 집에 가라고 하는 것은 말이 안 됐다.

정식교섭이 진행될 때마다 교섭단과 전체 조합원이 토론했다. 학교가 사태 해결을 위해 노력하는 만큼 우리 또한 학교에 명분을 주는 안이 필요하다는 의견이 나왔다.

"학교가 직접고용을 제시하는 만큼 우리가 학교에 명분을 제시할 수도 있어야 할 거 같습니다. 우리가 어차피 고용보험 실업급여로 11월까지 버틸 수 있습니다. 12월 1일 복귀를 제안하면 학교로서도 6개월간 임금을 절약할 수 있지 않겠습니까?"

"우리 중에 실업급여가 11월까지 나오지 않는 동지들도 있습니다. 늦게 입사한 동지들은 9월이 되면 실업급여가 중단됩니다. 그 동지들은 2달 정도 임금이 비게 되는데 12월로 전원 복귀를 제시하는 건 문제가 됩니다."

"복귀가 너무 늦는 것도 문제입니다. 우리 2014년 투쟁에서 봤듯이 우리가 12월 복귀를 합의했는데 번복하고 다른 사람들 데려와서 일 시키면 어떻게 합니까? 우리 합의서 말짱 도루묵 되는 거 아닙니까? 합의 도장 찍고 한두 달 안에 복귀해야 합니다. 복귀 기간을 너무 길게 두면 저쪽에서 다른 짓할까 봐 불안합니다."

"각자 실업급여 기간이 다른 만큼 9월과 12월 복귀자를 나눠서 하는 게 어떨까 싶습니다. 꼭 모두가 한 번에 복귀할 필요는 없을 것 같습니다. 미리 복귀하는 인원이 4명으로 이야기되고 있는데 학교 전체를 청소할 수는 없습니다. 부족한 인원에 대해서는 12월 전까지는 학교에서 용역을 쓰든 교직원들이 직접 하든 책임지고 진행하라고 하고, 시기를 나눠서 복귀했으면 합니다."

교섭안을 두고 조합원들이 치열하게 토론했다. 간부들은 나서지 않고 조합원들의 얘기를 경청했다. 다만 합의안이 번복될 것을 걱정하는 조합원들에게 학교가 이번에는 그럴 수 없다는 사실을 알렸다. 장시간 토론 끝에 총 28명 중 12월에 23명 복귀하고 4명은 9월, 몸이 아픈 1명은 치료 후 복직하기로 의견을 모았다.

3차 교섭은 6월 3일 열렸다. 1, 2차 교섭에서 학교가 제시한 내용에 단호하게 선을 긋고 새로운 양보안을 제시했다. 양보안은 조합원들과 치열하게 토론한 복귀 시점에 관한 내용이었다. 학교는 이전에 제시한 내용을 철회하고 복귀 시점을 나누는 문제를 받아들였다. 그러면서 실무적인 합의 절차로 넘어갈 것을 제안했다.

실무 교섭을 한두 차례 더 가지고 6월 16일 최종 합의했다. 핵심 내용은 농성하는 조합원 28명 전원 직접고용, 만 65세 정년 보장, 학내 노조 사무실 개설, 기존 근로조건 동일, 9월(4명) · 12월(23명) · 부상자(1명) 치료 후 복귀로 결정되었다. 그리고 학교가 노조에 제기한 민형사상의 책임 또한 모두 취하하기로 했다. 민주노총뿐만 아니라 한국노총 8명도 6월 19일 학교와 합의했다.

신라대 청소노동자는 10년이라는 힘겨운 시간을 거쳐 직접고용을 쟁취했다. 그리고 학교 측에서 제시한 근로조건 저하를 방어했으며, 부상자 1명을 배제하지 않고 치료 후 복귀를 약속받았다. 그뿐만 아니라 노조 간부 중심으로 교섭을 진행하지 않고 조합원들과 토론을 통해 최종 합의안을 만들었다. 조합원들이 제시한 복귀 시점에 관한 합의안이 없었다면 교섭은 더 길어졌을지 모른다. 복귀 시점 카드는 교섭 투쟁에 신의 한 수였다.

물론 합의 내용에 한계는 있다. 직접고용을 쟁취했지만, 교직원과 똑같은 처우와 복지 혜택을 쟁취하진 못했다. 기존 용역 업체와 맺은 임금과 복지 처우를 그대로 보장받는 정도였다. 12월 복직 후 교수들은 청소노동자를 정직원이라기보다 무기계약직으로 착각하는 경우가 많았다.

또한 합의안에 "노조는 위 조합원들의 정년으로 인한 자연 감원에 대해 관여하지 않는다"라는 문구가 있다. 이는 현재 28명에 대해 고용을 보장하되 차후 정년으로 인한 감원 문제에 대해서는 노조 개입을 막겠다는 뜻이다. 기존 51명이 하던 업무를 36명(민주노총 28명, 한국노총 8명)이 해야 하는 상황에서 자연 감원으로 사람이 줄면 노동강도를 감당하기 힘들다. 그렇다면 추가 채용 문제에 대해 노조가 관여하지 않을 수 없다. 차후 분쟁 소지가 있는 합의안이다. 이후 단체교섭을 통해 풀어야 할 숙제로, 아쉬움이 많이 남는다.

승리

6월 15일 저녁, 신라대지회 마지막 간부 회의가 열렸다. 회의 자리에서 16일 합의를 위한 잠정 합의서를 제출했다는 내용이 발표되었다. 손뼉을 치는 조합원도 있었지만, 합의서 도장 찍기 전까지 알 수 없다며 의심을 눈초리를 거두지 않는 조합원도 있었다. 15일 밤은 길었다. 밤새도록 잠이 오지 않았다. 114일간 농성 끝에 합의한다는 사실이 꿈인지 생시인지 믿기지 않았다. 잠이 오지 않아 새벽에 화장실을 들락날락하며 보니 농성장 곳곳에서 조합원들이 삼삼오오 모여 이야기꽃을 피우고 있었다.

"새벽 4시까지 잠을 이루지 못했어요. 내일 진짜 합의서를 찍는 건지 우리의 농성이 진짜 끝이 나는지 실감이 나지 않았어요. 끝날 때까지 끝난 게 아니라는 말이 머릿속에 밤새도록 맴돌더라고요. 합의서

도장 찍는 것을 내 눈으로 보기 전까지 믿을 수 없어요."

6월 16일 아침 해가 떴고, 114일 농성 내내 꿈에 그리던 일이 현실이 되었다. 총장과 부총장, 노조위원장, 신라대지회장 등이 합의서에 도장을 찍기 위해 대학 본부 접견실에 모였다. 총장과 위원장이 합의서에 서명하고 청소노동자와 함께 사진을 찍었다.

몸짓패 '선언'의 〈진짜 사장이 나와라2〉에 "진짜 사장이 나와라 / 우리의 노동은 가짜 노동이 아냐 / 진짜 사장이 나와라 / 용역하청바지사장 다 걷어치우고 나와라"라는 가사가 있다. 간접고용 비정규직 노동자의 현실을 이야기한다. 신라대 농성장에 몸짓패 선언이 와서 공연하기도 했다. 조합원들이 우리 심정을 대변하는 노래라며 자주 따라 불렀다.

노래 가사처럼 신라대 청소노동자는 진짜 사장(원청)인 학교 총장이 직접 교섭에 나오게 하려고 10년간 투쟁했다. 2014년 합의서에는 노조위원장 이름이 들어가지 못했다. 하지만 2021년 합의서에는 총장과 노조위원장 이름이 동시에 들어갔고 최종 조인식에 노조위원장과 조합원이 직접 참석했다. 신라대 청소노동자는 간접고용 비정규직 노동자의 진짜 사용자는 원청이라는 사실을 투쟁으로 증명했다.

농성장 살림 정리만 이틀

합의서에 도장을 찍고 대학 본부 접견실을 나오는 노조 대표자들을 조합원들이 반갑게 맞이했다. 현장은 눈물바다가 되었다. 114일 동안 단 한 번도 약한 모습을 보여 주지 않았던 투사들이 눈물을 흘렸다. 나도 울컥했다.

"진짜 끝이죠? 오늘까지도 실감이 나지 않았는데 합의서 보니 눈물이 쏟아지더라고요. 114일간 정말 어렵게 싸웠어요. 오늘만큼은 강인한 투사가 아닌 평범한 인간으로 펑펑 울게 내버려 두세요."

학교와 합의 직후 농성장 정리를 시작했다. 정리는 하루 만에 끝나지 않았다. 우선 학교 곳곳에 건 현수막부터 제거했다. 114일간 500여 개의 현수막을 학교에 걸었다. 수많은 단체에서 투쟁 승리를 위해 현수막을 보냈다. 마지막까지 노조 현수막이 칼로 훼손되어 조합원들의 가슴을 먹먹하게 만들기도 했다.

조합원들은 각 관으로 흩어져 청소를 시작했다. 2월 23일 전면파업 이후 학교 청소 상태가 말이 아니었다. 교직원이 청소한다고 했지만, 업무가 바쁜 교직원의 청소는 제대로 이루어지지 않았다. 학교 곳곳에 쓰레기가 쌓였고 화장실은 대소변을 보기 어려울 정도로 지저분했다. 합의서 작성과 동시에 바로 복귀하기로 결의하지 않았지만, 학생들이 쾌적한 환경에서 기말고사를 볼 수 있도록 청소를 시작했다.

청소노동자 농성 투쟁하면서 신라대 학생과 갈등이 많았다. 총학생회와 노조는 대자보와 현수막을 통해서 치열하게 논쟁하기도 했다. 16일 오후 총장은 학생들이 이번 사태를 통해 상처받는 일이 없었으면 한다면서 청소노동자와 총학생회의 면담을 주선했다. 면담 자리에서 학생들은 그동안 섭섭하고 불편했던 점을 이야기했고 청소노동자들도 의견을 전달했다. 물론 한 번의 자리로 그동안 쌓인 감정이 해소될 리 없었다. 각자 자리로 돌아가 다시 신뢰를 쌓아 갈 것을 약속하며 아쉬움을 뒤로하고 면담을 마쳤다. 면담 뒤 신라대 청소노동자들은 학내에 대자보를 붙였다.

> 114일 동안 집단해고 철회와 직접고용 쟁취를 위해 본부 농성함으로써 여러분께 불편함을 끼쳐 대단히 유감스럽게 생각합니다. 다행히 학교 측과 합의가 원만히 해결되어 다시 학교로 복귀하게 되었습니다. 그동안 미안하고 감사합니다.

대자보에서 청소노동자는 농성으로 인해 대학 본부에서 일하는 교직원이 불편을 겪은 것에 대해 사과하며 향후 신라대 발전을 위해 함께 어깨 걸고 나가자는 말도 덧붙였다.

16일 저녁 우리는 그동안 연대했던 수많은 연대활동가와 함께 '투쟁 승리 보고대회'를 열었다. 대학 본부 1층을 가득 메울 만큼 많은 사람이 승리를 축하하기 위해 달려왔다. 조합원들은 마지막 투쟁문화

제인 만큼 공연 시간을 제한하지 말고 마음껏 노래하자고 했다. 문화제는 7시에 시작해서 10시에 끝났다. 나 또한 조합원들이 농성 동안에 노래 한 번 못 들어 봤다고 외치는 바람에 무대로 올랐다. 신해철의 〈해에게서 소년에게〉를 불렀다. 가사를 틀리고 박자도 놓쳤지만, 조합원들은 박수와 환호를 보내며 그동안 노고를 격려했다. 조합원 전원이 우르르 몰려 나와 위원장을 헹가래 치기도 했다.

17일 오전, 우리는 농성장을 정리하고 귀가했다.

농성 끝나자마자 연대 투쟁에 나서다

6월 18일 우리는 국민건강보험공단 고객센터 비정규직 투쟁 현장을 찾았다. 고객센터 비정규직 노동자는 '고객센터 직영화, 건강보험 공공성 강화, 생활임금 보장'을 위해 투쟁 중이었다. 사실 18일은 농성장을 정리한 바로 다음 날이라 국민건강보험공단 본사가 있는 강원도 원주까지 조합원들이 흔쾌히 간다고 할지 의문이었다. 하지만 정현실 지회장은 바로 달려가자고 했다.

"그냥 갑시다. 어차피 우리 농성하면서 연대 투쟁하는 게 단련된 상황인데 무엇을 망설입니까? 달려가서 힘들게 싸우는 동지들에게 힘을 줍시다."

고객센터 노동자 농성장은 국민건강보험 공단 앞 야외 공간에 있었다. 실내에 몇몇 사람이 농성하고 있었지만 대부분 밖에서 텐트를 치고 농성 중이었다. 신라대 조합원들은 고객센터 농성장을 보고 비와 바람이 닥치면 어떻게 하나 걱정부터 했다.

"우리 농성장은 5성급 호텔이었네요. 농성 중에는 집보다 불편하고 공개적인 장소에서 잠을 이룬다는 것 자체가 힘든 일이었어요. 근데 지나고 보니까 우리는 새 건물에 비와 바람 걱정 없이 편안하게 보낸 것 같아요. 고객센터 동지들, 여름 장마에 비가 들이닥치면 어떨지 걱정되네요."

정현실 지회장은 연대사를 통해 끝까지 투쟁하면 반드시 승리한다면서 투쟁을 절대 포기해서는 안 된다고 말했다. 또한 〈바위처럼〉에 맞춰 율동하며 승리의 에너지를 전했다.

"저희는 114일 농성 투쟁을 통해 투쟁 없이는 아무것도 얻을 수 없고 내 권리는 나 스스로 찾아야 한다는 사실을 알게 되었습니다. 신라대지회의 승리가 비정규직 철폐를 위해 한 걸음 더 나아갈 수 있는 초석이 되었으면 합니다. 당당한 노동자가 반드시 승리합니다. 끝까지 투쟁합시다!"

부산과 원주를 오가는 길에 신라대 투사들이 집으로 복귀한 이야기를 들을 수 있었다. 먼저 그동안 밀렸던 집안일하는 것이 걱정이라고 말했다. 신라대 농성 투쟁 기간에 조합원들은 일주일에 1~2회 정도만 집에 가고 나머지는 대학 본부에서 살았다. 집을 청소할 시간이 없어서 집 상태가 엉망이었다.

"투쟁 현장으로 돌아가고 싶을 정도로 집안일이 많아요. 엄마, 여름 커튼 바꿔 줘. 엄마, 여름 이불로 바꿔 줘. 엄마, 돗자리 깔아 줘. 더운데 반바지 좀 찾아 주라. 우리는 큰일 치르고 복귀했지만, 가사노동으로 쉴 틈이 없네요. 그래도 남편이 기본적인 가사노동을 배워서 앞으로 좀 편할 것 같긴 해요."

이 조합원의 딸은 엄마의 복귀를 격하게 환영했다고 한다. 엄마가 집에 없다 보니 딸은 매일 배달 음식을 시켜 먹었다. 처음에는 배달 음식을 매일 먹을 수 있어서 행복했다. 하지만 농성이 장기화하자 맵고 달고 짠 배달 음식이 건강을 해쳤다.

"엄마, 나 배달 음식 매일 먹으니 살이 10킬로그램 넘게 쪘어요. 배달 음식도 처음에나 좋지, 시간이 지날수록 집밥이 그리워졌어요. 배달 음식보다 덜 맛있어도 집밥이 건강에는 도움이 많이 된다는 사실도 알았어요. 엄마가 없을 때는 몰랐는데 집안일이 이렇게 힘들고 중요한지 이제 알게 되었어요. 저도 이제 요리와 집안일을 배우도록 할게요. 엄마 고마워요."

또 다른 조합원은 농성장을 정리하고 차로 귀가했다. 집 앞 주차장에 주차하다가 옆 차를 긁었다. 다행히 차만 긁고 사람이 다치진 않았다. 하필 비싼 외제 차를 긁어 수리비만 200만 원 이상 깨졌다고 한다.

“농성 끝나니 긴장이 풀리면서 기분이 업되더라고요. 기쁜 마음에 노래 부르면서 차를 주차하고 있는데 그대로 옆 차 박아 버린 거예요. 하필 외제 차라 수리비만 200만 원이 넘더라고요. 돈보다 남편이 화낼까 봐 걱정되더라고요. 근데 남편은 내 안부를 먼저 챙기고 안 다쳐서 다행이라며 넘어가더라고요. 집을 오래 비우다 보니 남편이 아내의 소중함을 알게 된 것 같더라고요. 200만 원 넘게 수리비가 나와서 걱정했는데 남편 반응에 우쭐해지더라고요.”

다른 조합원도 농성 이후 남편이 아내를 대하는 태도가 달라졌다고 말했다. 이전에는 집안일에 손도 까닥 안 했는데 농성 이후에는 간단한 집안일과 요리를 배운 남편도 있다고 했다. 그리고 장기간 농성으로 피로한 아내에게 제주도 여행 가서 푹 쉬고 오라는 남편도 있었다.

부산에서 원주 가는 길에 현수막이 많이 보였다. 기업에서 제품을 홍보하는 현수막도 보였고 억울한 피해자 사연이 담긴 현수막도 보였다. 한 조합원은 이제 현수막만 보면 눈이 먼저 간다고 말했다.

“신라대 농성할 때 현수막 가지고 말이 많았잖아요. 노조 현수막을 누군가가 훼손하기도 하고, 총학생회에서 투쟁을 비판하는 현수막도 붙이는 등 농성장 내내 거슬리는 게 현수막이었어요. 농성 기간 내내 새로운 현수막이 등장하거나 기존 현수막이 훼손되었는지 늘 주목해야 했죠. 그래서 밖에 나와도 현수막만 보면 눈이 먼저 가요. 또 누가 억울한 일이 있어서 힘들게 싸우고 있나 하고 걱정이 되더라고요. 농성 투쟁하면서 공감 능력이 두 배는 커진 거 같아요. 내 문제로 투쟁을 시작했지만 결국 나만 겪는 문제가 아니라는 것을 알게 되었거든요."

투쟁 초반에 신라대 조합원들은 빨간 노조 조끼 입고 다니는 것을 부끄러워했다. 서면에서 집회할 때는 꼭 가방을 챙겼다. 학교에서 서면 가는 길에는 빨간 조끼를 가방에 넣어 두고 집회할 때만 꺼내 입기 위해서였다. 하지만 농성 승리 뒤에는 원주에 가는 내내 빨간 조끼를 한 번도 벗지 않았다. 투쟁 조끼가 어느덧 편안한 일상복이 되었다.

"처음에 투쟁 조끼 불편했어요. 빨간색에 '단결 투쟁'이라는 글씨가 적혀 있어서 부담스러웠죠. 근데 투쟁을 장기간 하다 보니 부담스럽기보다는 오히려 편안해지더라고요. 우선 투쟁 조끼에 주머니가 많아서 오만 가지 물건을 가지고 다닐 수 있어 정말 좋아요. 그리고 노조를 통해 내 일자리를 지킨 경험을 하니 묘하게 소속감이 생기더라고요. 노조 조끼만 입으면 뭔가 나를 보호해 주는 든든함이 느껴져요."

신라대 투사들은 12월 1일 전원 복귀 직전까지 성주 사드 반대 투쟁, 울산 현대중공업 하청 비정규직 노동자 투쟁, 세종시 정부청사 투쟁 등 전국 곳곳을 누비며 그동안 함께한 동지들에게 승리의 에너지를 전했다.

연대의 깃발

신라대학 청소노동자 투쟁 승리에 부쳐

해방글터 배순덕

니가 그 나이에 어디 가서 뭘 한다고

섭섭함 쏟아붓는 남편 핀잔에

용역 업체 이력서 내고

출근하게 된 신라대학

출근하면서 보는 학생들

사는 게 바빠 살뜰히 챙기지 못했던

자식 보는 것 같아

미안하고 대견한 애미 마음에

빗자루질 한 번 더 쓸고

걸레질 한 번 더 밀면서

우째든지 공부 열심히 해서

돈 걱정 집 걱정 안 하는

좋은 직장에

행복한 가정 꾸렸으면 하는 마음으로

이 학교를 10년 넘게 쓸고 닦아 왔다

해마다 최저임금이 내 월급이고

총장 바뀔 때마다 한바탕 난리굿을 피웠지만

주변 사람들

경비하다가

청소하다가

용역 업체 변경됐다고

공장 다니다가 정년 넘었다고

일자리 잃고 속상해할 때

그래도 우리는

노동조합이 있어 바람막이 되어 줬지

올해도 무사히 넘어가나 싶었는데

제일 만만한 게 없는 놈이라고

학교 경영 어렵다고

청소노동자 없애고 혁신 외치는 총장

억울하고 분한 마음에 든 깃발

이 늙은 아줌마 싸움이 뭐라고

하루도 잊지 않고 달려와 주는 연대

가끔 힘겨워 놓고 싶고

주저앉고 싶어도

웃으며 환하게 달려와 안아 주는

그 따스함이 100일을 넘게 만든다

우리의 자존심이었던

투쟁의 깃발

세상 물정 모르는 젊은 학생들

자신이 핍박받는 노동자라는 걸

모르는 직원들에 의해

난도질당해 찢어졌다

암담한 마음으로

철사로 깃발을 꿰맨다

늙은 아줌마라고

청소하는 노동자라고

가장 먼저 없애도 되는 그런 존재가 아니라

노동의 소중함을 위해

우리는

가장 낮은 곳에서

가장 높은 곳을 향해

투쟁의 깃발

승리의 깃발

연대의 물결로 싸워 승리할 것이다

지방에도 사람이 산다

신라대 농성 투쟁 승리 뒤 지역 언론에서 많은 관심을 보였다. 〈국제신문〉과 〈부산일보〉 등의 기자들은 합의서에 잉크가 마르기도 전에 합의 내용을 상세히 취재했다. 끝나지 않을 것 같았던 농성이 어떻게 끝났는지 궁금해했다. 부산KBS에서는 정현실 지회장을 스튜디오로 초대해 인터뷰하고 싶다고 제안했다. 방송 출연이야말로 생생한 농성 투쟁 승리 이야기를 전달할 수 있는 기회라 지회장에게 출연을 당부했다.

지회장은 손사래를 쳤다. 투쟁이 끝났는데 무슨 인터뷰가 이렇게 많냐며 툴툴거렸다. 신문까지는 괜찮은데 방송에 나오면 친인척들이 다 볼까 부끄럽다고 했다. 곰곰이 생각해 보니 지회장은 농성 투쟁 내내 투쟁이 끝나면 조용히 살고 싶다고 말하곤 했다. 생각지도 못한 수십 차례에 걸친 언론 인터뷰로 얼굴이 많이 알려졌기 때문이었다. 평범한 아줌마로 남고 싶었는데 투쟁 과정에서 정현실이라는 사람의 사회적 역할이 기대 이상 커졌다. 사회적 역할이 커질수록 지회장에게는 부담이었다. 오죽했으면 농성 투쟁 끝나고 3일 만에 제주도로 힐링 여행을 떠난다고 노조에 통보할 정도였다.

그런데도 지회장은 부산KBS 인터뷰를 당차게 해냈다. 방송 출연 전에 지회장과 나는 인터뷰 답변을 미리 준비했다. 우리가 114일간 겪었던 일을 짧은 시간에 상세히 전달해야 했기 때문이다. 녹화 당일, 역시 지회장은 언론을 어떻게 활용할지 꿰고 있을 정도로 선수가 되어 있었다.

방송 출연 뒤 전국 방송 출연을 내심 기대했다. 지회장은 이번 방송 출연이 마지막이라고 못박았지만, 나는 출연 요청이 있으면 전부 나가야 한다고 설득했다. 지회장은 못 이기는 척 노조에서 필요하면 하겠다고 대답했다. 하지만 부산KBS 뉴스 출연 뒤 전국 언론에서 인터뷰 요청은 단 한 건도 없었다.

6월 16일 합의서에 도장을 찍자 시민사회운동가들의 SNS가 신라대 이야기로 가득 찼다. 지역 언론 또한 지방대학의 위기 속에서 직접 고용을 쟁취한 청소노동자들과 신라대 총장을 취재하기 바빴다. 하지만 중앙 언론과 정치권에서는 관심을 보이지 않았다. 시민사회운동가와 부산지역 언론 이외에는 아무도 신라대 투쟁을 조명하지 않았다.

만약 신라대가 서울에 있는 학교였다면 중앙 언론과 정치권의 관심이 지금과 같을까? 신라대 투쟁 직후인 2021년 6월 26일 서울대 기숙사 청소노동자가 과로사하는 사건이 일어났다. 전국 언론과 정치권은 일사불란하게 움직였다. 과로사뿐만 아니라 서울대의 갑질 문제까지 더해져 소식은 삽시간에 퍼져 나갔다. 방송에서는 노동자의 과로사 원인으로 살인적 노동강도와 열악한 휴게 시설을 지목했다. 그러자 정부는 전국 대학의 청소노동자 휴게 시설을 점검하기 시작했다. 서울대 청소노동자는 산재를 인정받았고 '노동자 휴게실 의무 설치 법안'이 7월 24일 국회 본회의를 통과했다.

서울대에서 청소노동자의 죽음은 처음이 아니었다. 2019년 직원 휴게실에서 휴식 중인 노동자가 숨진 채 발견됐다. 당시에도 살인적 노동강도와 열악한 휴게 시설이 사회적 이슈로 떠올랐다. 하지만 이내 사라지고 2021년 다시 노동자가 사망한 것이다. 그제야 언론과 정치권은 해결책을 찾기 위해 부랴부랴 움직였다. 이런 지경인데 하물며 지방대 청소노동자 집단해고가 전국적인 이슈가 되겠는가?

지방대 위기는 대학 노동자들의 생존권 문제

신라대 이전에도 많은 지방대 노동자는 학교 경영 위기로 일터를 잃었다. 하지만 노동조합에 가입한 비정규직 노동자가 있는 지방대학이 많지 않아 찍소리 못하고 쫓겨났다. 오래된 문제지만 지방대 위기로 해고된 노동자 이야기는 세상 밖으로 나오지 못했다. 그래서 이 책 출판을 결심했다.

신라대지회 조합원들에게 책을 출판해 다시는 이런 일이 반복되지 않도록 전국에 널리 알리겠다고 큰소리쳤다. 하지만 무명 운동가의 투쟁 이야기를 들어 줄 출판사가 있을까 의구심이 들었다. 설령 출판한들 지방대 위기로 잘리는 노동자 문제를 세상에 널리 알릴 자신이 없었다. 그런데도 책을 쓰자는 결심을 접을 수 없었다. 지금도 지방대 위기 속에 소리소문없이 학교를 강제로 떠나는 노동자들이 있기 때문이다.

지방대 위기는 그곳에서 일하는 대학 노동자들의 생존권 문제다. 책을 쓰면서 대학 하나가 무너지면 노동자뿐만 아니라 학생과 지역주민의 생존권 또한 박탈된다는 사실을 알게 되었다. 지금과 같은 추세로 간다면 신라대와 같은 사례는 우후죽순처럼 생겨날 것이고, 희생자로 학내에서 가장 약한 처지에 있는 비정규직 노동자가 가장 먼저 지목될 것이다.

지역에도 사람이 있고, 지금 그들이 생존권을 지키기 위해 몸부림

치고 있다. 지방대 위기 책임을 비정규직 청소노동자 해고로 떠넘긴 학교에 굴하지 않고 끝까지 투쟁한 신라대 청소노동자들께 박수를 보낸다.

주요 투쟁 일지

2020년

12월 20일	학교가 용역 업체에게 청소노동자 계약해지 통보

2021년

1월 2일	학교 교직원과 교수에게 3월부터 학교 자체 청소 방안 통보
1월 25일	총장과 부산일반노조 면담
1월 27일	신라대 청소노동자 집단해고 철회 기자회견
	용역 업체로부터 해고예고 통보서 받음
1월 29일	교섭 창구 단일화 절차 진행
2월 8일	부산지방노동위원회에 노동쟁의 조정 신청
2월 18일	부산지방노동위원회 노동쟁의 조정 절차 결렬
2월 23일	무기한 전면파업(대학 본부 농성) 돌입
3월 1일	학교 측 코로나로 인한 집회 참석 차량 통제
3월 15일	창조공연예술학부 폐과 통보로 학생 투쟁 시작
3월 24일	'청소노동자를 지지하는 신라대 학생 모임' 기자회견 (1,005명 지지 서명)
3월 25일	총장과 노조, 농성 후 1차 면담
	학교는 노조에게 '퇴거 및 업무방해 등의 가처분 소송' 신청
3월 29일	총학생회 중재로 총장과 노조 2차 면담
3월 31일	'신라대 집단해고 철회와 직접고용 쟁취를 위한 청(소)년 학생 공동대책위원회' 기자회견

4월 1일	총장과 노조 3차 면담
4월 3일	청소 전문업체 코로나 방역 명목으로 매주 주말 청소하고 있는 사실 적발
4월 7일	총장과 현장 지회장 면담
4월 9일	신라대 집단해고 철회 민주일반연맹 집중 결의대회
4월 12일	한국노총 비정규직일반노조 신라대지부 투쟁 시작
4월 19일	신라대지회 황매산 수련회
4월 21일	'퇴거 및 업무방해금지 등의 가처분 소송' 재판 방청
4월 29일	총학생회 학습권 보장 집회 개최
5월 15일	총장 집 앞 집회 시작
5월 25일	1차 정식교섭
5월 27일	세종시 정부청사 교육부 면담 투쟁
6월 1일	2차 정식교섭
6월 2일	농성 100일 투쟁문화제
6월 3일	3차 정식교섭
6월 10일	법원 '퇴거 및 업무방해 등의 가처분 소송' 결정문 통보
6월 16일	합의서 작성

외면하면 안 되는
소중한 분투의 기록

홍명교(플랫폼C 활동가)

살면서 누구나 사회 모순이 낳은 장벽에 부딪혀 선택의 갈림길에 서곤 한다. 장벽을 부수거나, 받아들이거나, 장벽으로부터 도망치거나.《현장의 힘 : 신라대 청소노동자와 함께한 114일》은 동시대를 살아가는 이들에게 글쓴이 배성민이 돌파해 온 대결의 시간을 전한다. 그의 분투 덕분에 우리는 '다른 삶을 선택할 수 있다'는 용기를 얻는다.

글쓴이는 청소년운동과 대학생운동, 진보정당운동을 거친 젊은 활동가로서 세상의 부조리와 불합리, 억압에 맞서 싸우며 대안을 고민해 왔다. 그러나 진보정당의 취약한 조건 앞에서, 무엇보다 세상 사람들의 진보 정치에 대한 조롱과 절망 앞에서 어려움을 겪었다. 그러다 "문득 세상을 바꾸자는 내 말이 사람들에게 제대로 먹히지 않겠다는 생각이 들었다." 그때 그가 돌아본 것은 자기 자신이었다.

세상의 흔치 않은 풍파와 좌절, 냉소에 아직 지지 않은 글쓴이가 선택한 곳은 부산지역일반노동조합이다. 2000년 4월에 출범한 부산일반노조는 한국 노동운동의 전형적인 지향과는 다른 조직 방식을 선택한, 기업과 업종을 뛰어넘어 '지역공동체'의 노동운동이 필요하다는 문제의식에서 출발한 노동조합이다. 따라서 이 책은 신라대라는 개별 사업장 청소노동자들의 집단 해고에 맞선 투쟁을 배경으로 하면서도 지역일반노조의 특성을 품은 행동 양식을 드러낸다. 부산일반노조는 처음부터 개별 사업장을 뛰어넘는 노동조합을 고민했기에 하청·도급·비정규직·영세 사업장 노동자들이 모일 수밖에 없으며, 하나하나의 싸움이 격렬하고 힘겹다. 그런 만큼 산전수전 다 겪은 노동자들의 경험적 지식이 봇물 터지듯 쏟아져 나오기도 한다. 책상 앞에 앉아서는 얻을 수 없는 지식이다.

대학이라는 공간은 2000년대 대학생운동을 경험한 글쓴이에게 중요한 기억을 남겼다. 신자유주의 구조조정의 물결이 대학에도 들이닥치면서 이윤 가치를 중심으로 한 대학의 기업화와 학사 재편을 낳았기 때문이다. 청소노동자들 역시 마찬가지였다. 대부분의 한국 대학들은 경영 효율성 개선과 비용 절감을 위해 청소·경비·통신·조리 등 캠퍼스 시설관리직을 용역 업체 소속으로 전환했다. 이 과정에서 더 많은 이윤을 뽑아내려는 용역 업체에 의한 중간 수탈 고착화와 일터의 비인간화가 이뤄졌다. 화장실 청소도구 칸이나 지하실, 계단

아래에 쪼그려 앉아 밥을 먹는 청소노동자의 모습이 알려진 것은 그로부터 몇 년 뒤다.

신라대 청소노동자들 역시 이런 현실을 온몸으로 겪어 왔다. 정현실 지회장을 비롯한 총무, 조직부장, 쟁의부장, 교육부장 등 32명의 조합원은 평상시에는 캠퍼스 곳곳을 깨끗하게 유지하는 노동자이지만 농성이 시작되면 투사가 된다. 글쓴이는 114일간의 농성 투쟁에서 청소노동자이자 여성 노동운동가인 그들이 오랜 시간 익혀 온 '현장의 지식과 지혜'를 배운다. 책에는 준법 투쟁과 쟁의 행위, 일부 학생의 반발에 맞선 다른 학생 연대 조직, 가처분 소송 대응 투쟁, SNS를 이용한 선전 활동, 강성 투쟁과 속도 조절 투쟁의 조율 등에서 그가 느낀 현장의 리듬과 공동체 윤리, 정서, 긴장이 생생하게 기록되어 있다.

부산이라는 도시의 외면받는 일터에서 노동자들과 함께 '현장의 힘'을 배우고, 기억하고, 더 많은 사람에게 전하려는 모습에서 '잃어버린 진보 정치'가 돌아가야 할 곳이 어디인지 느낀다. 그런 점에서 글쓴이는 우리 사회의 가장 열악한 노동 현장에서 진짜 정치를 배우고 또 펼치고 있는지도 모른다.

어쩌면 희망버스나 노동자대회 같은 집회에서 글쓴이를 스치듯 만났을지 모르겠지만, 그와 나는 일면식도 없다. 그런데도 이 책을 읽으면서 글쓴이의 뜨거운 마음, 언제나 자신을 돌아보며 정정의 기회를 잃지 않으려는 모습에서 거칠고 팍팍한 동시대를 살아가는 동료 시민으로서의 동질감을 느끼지 않을 수 없었다.

자본의 야만과 정치권력의 무능이 대다수 민중을 고달프게 하는 오늘, 한국 사회운동이 혁신하고 발전하려면 다양한 노력과 간절함이 모이고 또 모여야 할 것이다. 이 책은 그 노정에서 빠져서는 안 될 소중한 분투의 기록이다.

주

1 구민안전보험은 일상생활에서 발생하는 각종 재난(자연, 사회) 및 사고로 손해를 입은 구민에게 보장항목에 해당하는 보장금액을 제공하는 것이다. 최대 1,000만 원의 보험금을 보장받을 수 있다. 보험 혜택은 주민등록법상 해당 구 거주자로 등록된 자(외국인 포함)에게 주어지며 별도 절차 없이 자동 가입되고 전출 시 자동 해지된다.

2 "근로시간면제제도는 우리 부가 고시한 근로시간면제 한도를 초과하지 않는 범위 내에서 근무시간 중에 임금의 손실 없이 노동조합 활동과 관련된 일정한 업무를 할 수 있도록 하는 제도로 우리나라에서는 이번 법 개정으로 처음 도입된 제도입니다(〈고용노동부 근로시간면제 Q&A〉, 2010. 11)."

3 "몇 개의 기업별 조합이 공동으로 이에 대응하는 사용자 집단과 교섭하는 방식을 말하며, 이를 연합교섭 또는 집합교섭이라고도 한다(〈고용노동부 단체교섭의 방식과 방법〉)."

4 정상규, "반복되는 신라대 집단해고를 막을 방법", 〈매일노동뉴스〉, 2021. 5. 31.

5 박주영, "단체교섭 발목 잡는 '교섭 창구 단일화' 제도", 〈프레시안〉, 2020. 12. 22.

6 이광선, '공정대표 의무를 중심으로', 《노동법률》.

7 중앙노동위 2012. 10. 5. 2012공정7 00000사건(각하). "교섭대표노조가 신청인 노조의 요구안을 채택하지 않은 것으로 인해 교섭대표노조와 신청인 노조 또는 조합원 간에 근로조건의 차이나 불이익이 발생할 것으로는 보여지지 않은 점, 교섭대표노조로서 단체교섭 체결에 관한 전반적인 권한을 가지는 바, 교섭 의제 채택 결정이 교섭대표노조가 가지는 이러한 권한의 범위를 현저히 벗어났다고 보기도 어려운 점 등을 볼 때 피신청인 교섭대표노조가 신청인 노조를 차별한 것으로 보기 어렵다."

8 "'교섭 창구 단일화 제도'는 한 사업 또는 사업장에 복수노조가 있을 시 일차적으로 과반수 노조에 교섭권을 부여하고 소수노조와의 교섭 여부는 회사가 정하게 하는 제도다. 제도가 이와 같다면, 회사는 자기 말을 잘 듣는 노조를 과반수노조로 만들려는 생각을 갖기 마련이다. 마음에 들지 않는 노조가 소수노조가 되면 '소수노조와 교섭하지 않는다'라는 간단한 의사 표시로 해당 노조의 교섭권을 박탈할 수 있기 때문이다. 상상 속 가정이 아니다. 교섭 창

구 단일화 제도 시행 10년을 돌아보면, 삼성 · 유성기업 등에서 실제로 위와 같은 일이 발생해 왔다. 소수·미조직 노동자의 대표성을 높이기 위해 도입된 복수노조 제도가 소수노조의 교섭권을 제약하는 교섭 창구 단일화 제도와 결합해 왜곡된 결과를 가져온 셈이다. 민주노총은 2020년 2월 회사 입맛에 따라 소수노조의 교섭권을 박탈할 수 있게 한 교섭 창구 단일화 제도는 위헌이라며 헌법재판소에 소송을 제기했다(박주영, "단체교섭 발목을 잡는 '교섭 창구 단일화' 제도", 〈프레시안〉, 2020. 12. 22)."

9 이상배, "신라대 무용 · 음악학과 폐지 철회하라", 〈부산일보〉, 2021. 3. 21.

10 박주현 · 박서현 · 최희수 · 권수민, 유정연 · 윤찬우, 〈대학 기업화, 공든 탑 무너진다〉, 동아대학교 다우미디어센터, 2021. 5. 31.

11 이승환, "위기의 지방대, 해법은 없나", 〈대학저널〉, 2021. 4. 27.

12 허지은, "학과 통폐합 '정원 조정 진통' 내몰린 지방대… 지역대학 위한 정책 마련 SOS", 〈한국대학신문〉, 2021. 3. 26.

13 〈신라대학교 2020~2021학년도 신입생 최종 등록 결과 보고〉, 신라대학교.

14 정지형, "예산 절감 위해 교직원이 청소까지…계속되는 '지방대 잔혹사'", 〈뉴스1〉, 2021. 2. 28.

15 신하영, "신입생 급감…대학은 국립대 · 수도권대만 남는다?", 〈이데일리〉, 2021. 1. 18.

16 반기웅, "지방대학의 위기가 곧 지역의 위기", 〈주간경향〉, 2020. 10. 12.

17 안준영, "2021 지방 혐오 리포트. 지방대 비하", 〈부산일보〉, 2021. 9. 6.

18 방준호, 《실직도시》, 부키, 242~243쪽.

19 연덕원, "'고등교육 재정교부금법' 더 늦추다간 사후약방문 된다", 〈유스라인〉, 2021. 2. 10.

20 홍준표, "코로나 이유로 집회 금지한 자치구 꾸짖은 법원", 〈매일노동뉴스〉, 2022. 1. 20.

21 랑희 · 박한희 · 아샤 · 정록 · 최홍조, 〈이슈 보고서 코로나19와 집회 시위의 권리〉.

22 "노동자 정치세력화는 말 그대로 노동자가 정치에 영향을 미치는 힘 있는 세력으로 조직되는 것을 말한다. 즉 노동자의 이익을 정치·사회적으로 관철하기 위해서 하나의 세력으로 결집하는 것을 말한다. 노동자의 이익을 사회 · 정치적으로 관철하고, 나아가 보수정당이 장악하고 있는 국가권력을 바꿔내어 궁극적으로 한국 사회를 바꿔내는 근본적인 변혁을 이뤄내려는 것이다(민주노총 정치위원회)."

23 김당, "노동계 지방선거 절반의 성공", 〈시사저널〉, 1998. 6. 18.

24 이재진, "김진숙과 희망버스, 노동운동 역사를 바꿨다", 〈미디어 오늘〉, 2011. 11. 10.